Racine et/ou

COLLECTION FONDÉE PAR JEAN FABRE
ET DIRIGÉE PAR ROBERT MAUZI

Racine
et/ou
la cérémonie

JACQUES SCHERER

PRESSES UNIVERSITAIRES DE FRANCE

ISBN 2 13 037429 8

Dépôt légal — 1re édition : 1982, juin
© Presses Universitaires de France, 1982
108, boulevard Saint-Germain, 75006 Paris

SOMMAIRE

Cette lecture

La critique racinienne, dans ses productions les plus mémorables des dernières années, a suivi essentiellement deux directions, qui pourraient n'être pas incompatibles. La première est historique et biographique. Elle se proposait d'établir aussi complètement que possible les faits de la vie de Racine et de la composition de ses œuvres, ainsi que les rapports de celles-ci avec la société contemporaine, ses idées, ses sentiments, ses croyances. L'œuvre de Raymond Picard est l'illustration la plus complète et la plus précise de cette méthode. Une deuxième direction a pour objectif de comprendre comment Racine a composé ses tragédies à partir de principes acceptés par le goût de son temps ou d'inventions qui lui sont propres. John Lapp, Bernard Weinberg, Odette de Mourgues, Roland Barthes sont parmi ceux qui ont apporté à cette construction d'une esthétique racinienne les contributions les plus neuves et les plus intéressantes. D'autres travaux utilisent simultanément ces deux méthodes. Ceux de Lucien Goldmann s'appuient à la fois sur le domaine historique et sur ce qui est technique ou esthétique. La recherche psychanalytique, telle qu'elle s'exprime en particulier dans les travaux de Charles Mauron, se situe également entre les deux tendances, puisqu'elle nous renseigne à la fois sur la vie personnelle de Racine et sur la manière dont ses conflits ont pu retentir sur ses œuvres.

Toutefois, les problèmes méthodologiques que l'œuvre de Racine ne cesse de poser à tout critique ne permettent pas, à mon sens, de se satisfaire totalement de ces divers travaux, quelque stimulants qu'ils soient. En effet, les résultats de ces différentes recherches ne peuvent être exprimés sur un plan général que de manière assez simple, et bien proche de l'évidence. On proclamera, par exemple, que Racine s'est fort bien adapté à la société de son temps, cette proposition étant susceptible d'une variante plus précise : Racine a été marqué par la conception janséniste du monde, même à l'époque où il écrivait des tragédies. On ajoutera qu'un certain nombre de caractères de l'œuvre de Racine résulte du fait qu'il était orphelin. On dira enfin, et cette dernière proposition est sans doute la plus féconde, que Racine a cherché, par des moyens ingénieusement dissimulés, à donner à son œuvre la plus grande cohérence possible.

Mais la difficulté commence lorsque la description de cette cohérence varie selon les auteurs. Plus ceux-ci sont brillants, et ils le sont souvent, plus ils dictent impérieusement leurs volontés au lecteur et à Racine lui-même. Rares sont ceux qui consentent à un pluralisme et permettent à Racine de s'écarter des règles qu'ils ont eux-mêmes proclamées. La réflexion sur le tragique semble engendrer un absolutisme qui envahit le discours critique. Le théâtre de Racine est ainsi décrit selon une lecture globale, unique et universalisante ; les textes doivent, ou s'y plier, ou être oubliés. Ce système a pour centre la pensée du critique plus que celle de Racine. La lecture, passionnante parce que passionnée, se fait en fonction de celui qui lit ou du principe selon lequel il lit, plutôt que de la chose lue.

J'espère que mes suggestions paraîtront plus ouvertes, parce qu'elles récusent implicitement deux principes. Le premier est la nécessité de choisir entre histoire et structure : je n'ai jamais considéré comme réelle la nécessité de ce choix ; si j'ai nettement privilégié ici les valeurs de structure, je me suis néanmoins référé, chaque fois que c'était utile, aux conditions historiques. Le deuxième principe, qui est plutôt un postulat, est l'unité de modèle de toutes les tragédies de Racine. Il me paraît découler d'une aspiration mythique. Odette de Mourgues a beau ironiser sur « les interprétations centrifuges de la critique contemporaine », qui, dit-elle fort justement, « conduisent inévitablement à un démembrement

de la tragédie racinienne, quelle que soit la beauté des feux
d'artifice qui honorent les obsèques », et proposer au contraire « une direction diamétralement opposée », qui voit
« l'univers racinien comme un monde fermé, dans lequel tout
mouvement est centripète et dont la plus grande valeur est
l'extrême cohérence de l'ensemble »[1]. Certes, on ne saurait
réduire totalement Racine à quelque autre centre, que ce
centre s'appelle jansénisme, Louis XIV, trois unités ou
même cérémonie ; mais centrifuge et centripète ont en
commun l'affirmation et la nécessité d'un centre unique auquel doivent aboutir tous les rayons, divergents ou conver-
gents ; par suite, la description d'une structure ainsi cen-
tralisée aura tous les inconvénients de la monarchie absolue
dont elle est contemporaine, sans rendre compte nécessairement de la richesse de l'œuvre. Que toutes les pièces de
Racine et tous les aspects de toutes ces pièces résultent d'un
modèle unique, d'application universelle, comme si c'était
toujours la même pièce et que tous les schèmes s'y retrouvent partout, voilà qui est à la fois incroyable, stérile et
contraire à l'expérience qui résulte même de la lecture la
plus superficielle. Racine est un auteur qui s'est renouvelé.

Je suis donc amené à reconnaître, au départ, la diversité
foncière et en quelque sorte existentielle des pièces de
Racine ; mais je cherche, naturellement, à les relier par des
liens abstraits, techniques ou littéraires ; les schémas que je
propose ne s'appliquent pas nécessairement à toutes les
œuvres, mais me paraissent suffisamment éclairants, donc
valides, s'ils concernent une portion non négligeable de
l'œuvre racinienne. Ma lecture est ainsi plurielle. Elle tend
néanmoins à définir, pour l'ensemble du théâtre de Racine,
un véritable système. Je le croirais volontiers plus com-
préhensif que d'autres, parce qu'il est orienté par une notion
centrale particulièrement riche, et qui est de nature esthétique et non historique (bien que les contemporains de
Racine y aient sans doute été plus sensibles que nous) :

1. *Autonomie de Racine*, p. 14.

celle de cérémonie. C'est elle qui assure l'unité de ma description de l'œuvre et évite le démembrement qui guetterait une soumission trop aveugle à l'histoire. Il est donc normal que mon exposé suive un ordre systématique et non historique ; toutefois, l'Index des pièces de Racine qui figure à la fin du volume permettra, si on le désire, de reconstituer la continuité chronologique. Peut-être verra-t-on également qu'une certaine dialectique commune à différents schèmes assure une perception uniformisante à travers l'incontestable variété des solutions concrètes.

Vis-à-vis du texte, ou plutôt des textes, j'ai toujours eu une attitude de respect scrupuleux, voire d'attention maniaque ; une véritable textolâtrie. C'est ainsi que j'ai été amené à m'attarder sur des détails qui sembleraient minimes, s'ils n'éclairaient pas un problème structurel. A l'inverse, je ne me suis pas interdit les problèmes les plus vastes, comme ceux du tragique, de l'histoire, de la poésie ou des dieux, non certes pour les épuiser, mais pour tenter de préciser ce qu'a été, face à leur défi, la pratique de Racine.

Sur bien des points, mon analyse heurte des idées reçues. Je ne crois pas, et c'est sans doute l'essentiel, que le tragique racinien repose sur une fatalité, et je pense qu'il faut le débarrasser des éléments de prédétermination exaltés par une certaine critique pour en présenter une description plus complexe. Je ne pense pas que l'histoire ait été seulement pour Racine ce vaste magasin culturel et pittoresque à la fois, réservoir inépuisable de couleurs, qui enchantait ses contemporains ; il en a vu aussi les graves dangers et a tenté de les éviter. Je crois à l'importance des redoublements et au redoublement des images dans son œuvre. A travers ses nobles et musicales tragédies, j'ai souvent vu des mégères, des monstres et des fous. Au total, j'ai tenté de lire le texte plutôt que de me dire moi-même. Est-ce une antilecture ?

Qu'est-ce qu'une cérémonie ?

Les dictionnaires, ceux du temps de Racine comme ceux d'aujourd'hui, enregistrent à la fois une laïcisation et une dégradation dans les divers sens du mot *cérémonie*. Il peut désigner les formes d'une solennité, d'abord religieuse, puis, par extension, civile, et ne se référer enfin qu'à de la simple politesse, voire à une politesse superflue et importune. Dans ces diverses acceptions, le mot est banal et ne pourrait guère servir à ordonner une réflexion sur le théâtre racinien. Toutefois, un texte contemporain de Racine en dit beaucoup plus et introduit à une sorte de magie théâtrale, donnant ainsi à la notion de cérémonie une profondeur et un retentissement qui permettent de la constituer en un foyer de l'esthétique ; quant à sa connotation spectaculaire, elle était déjà évidente dans ses emplois usuels. Ce texte est le premier *Dictionnaire* de l'Académie française, publié en 1694. Il implique une transcendance réelle, qui ferait de la cérémonie non point seulement une forme ou un spectacle, mais la transmission d'un pouvoir, ou du moins d'un sentiment, dotée d'une efficacité véritable. L'article *Cérémonie* dans ce *Dictionnaire* commence par cette étonnante définition : « Action mystérieuse qui accompagne la solennité du culte extérieur que l'on rend à Dieu. » Habituellement, la solennité du culte extérieur que l'on rend à Dieu suffit à définir la cérémonie religieuse. Ce qui est nouveau, et proprement théâtral, c'est d'affirmer que ces gestes s'accompagnent d'une « action mystérieuse ». Le rédacteur de cet article a tenu à distinguer nettement ce qui est « extérieur », et qui suffit aux autres dictionnaires à définir les divers contenus de l'idée de cérémonie, de ce qui est du domaine de l'âme, dont on admet le mystère mais dont on affirme la réalité.

Cette conception spiritualiste de la cérémonie est remarquablement isolée dans l'histoire. Elle ne vient pas des
époques antérieures à celle de Racine, et le grand dictionnaire
de la langue du xvie siècle, de Huguet, l'ignore. Elle est
également inconnue aux autres grands dictionnaires du
xviie siècle rivaux de celui de l'Académie : rien en ce sens
dans Richelet (1680) ni dans Furetière (1690) ; rien non plus
dans les Lexiques récents qui donnent un tableau de la langue
française classique, celui de Cayrou ou celui de Dubois,
Lagane et Lerond. Pas davantage d' « action mystérieuse »
dans les dictionnaires du xixe et du xxe siècle : ni Littré, ni le
Dictionnaire général de Hatzfeld et Darmesteter, ni les éditions successives du *Dictionnaire* de l'Académie française
de 1798, 1835, 1878 et 1932, ni le *Grand Larousse*, ni le *Trésor
de la langue française* n'en soufflent mot. Par contre, la première définition donnée par l'Académie française en 1694 se
retrouve sans changement dans toutes les éditions du *Dictionnaire* qui ont suivi au xviiie siècle : celle de 1718,
celle de 1740, celle de 1762, et celles qui en dérivent, comme
le *Vocabulaire français* de 1771 ou la « Nouvelle Edition »
du *Dictionnaire* de l'Académie donnée à Nîmes en 1777.
Seule la 5e édition, de 1798 (datée de l'an VII), marque nettement son refus de l' « action mystérieuse » en donnant pour
première définition : « Formes extérieures et régulières du
culte religieux. »

On peut encore remarquer que les exemples que l'Académie française, selon son usage, donne à l'appui de ses définitions et qui se répètent sans grand changement d'une édition à l'autre ne sont nullement spécifiques de la définition
primitive, qu'en réalité ils n'illustrent pas, et pourraient
aussi bien convenir à des formes qui seraient, comme on dira
en l'an VII, « extérieures et régulières ». Dans l'édition
de 1694, ces exemples sont : « Les cérémonies de l'Eglise.
On fait de grandes cérémonies aux enterrements des Evê-
ques. La cérémonie du baptême. Les cérémonies de l'ancienne loi. »

Un emploi exceptionnel du sens du mot *cérémonie* apparaît donc au temps de Racine et va se prolonger pendant un siècle environ. Il n'est enregistré que par l'Académie française. Il convient admirablement au théâtre de Racine, qui a pour but de provoquer, par ses formes extérieures, assurément empreintes de solennité, une action émotive, qui reste mystérieuse, sur son public. Racine était membre de l'Académie française, à laquelle il avait été élu en 1672. Il a participé au travail du *Dictionnaire*. Nous savons en tout cas qu'il était présent à la séance du 22 janvier 1685, lors de laquelle a été votée l'exclusion de Furetière[1]. A-t-il rédigé lui-même l'article *Cérémonie*? A-t-il participé à la discussion sur ce mot ? C'est possible, et rien ne permet d'écarter cette possibilité. Toutefois, on ne saurait affirmer qu'il en a bien été ainsi. Les Registres de l'Académie, pour cette époque, ne donnent pas de précisions suffisantes. Tout ce que l'on peut dire, c'est que Racine, comme tous ses confrères, a approuvé, au moins implicitement, les textes qui devaient voir le jour en 1694.

A défaut de preuves sur l'origine exacte de l'article *Cérémonie*, on peut faire état de textes qui, à la fin du XVIIe ou au XVIIIe siècle, évoquent des cérémonies dans la perspective spiritualiste du premier *Dictionnaire* de l'Académie française. Racine lui-même est l'auteur d'un de ces textes. Le 9 novembre 1698, écrivant à sa tante, la Mère Agnès de Sainte-Thècle, abbesse de Port-Royal, il évoque la cérémonie de prise de voile de sa fille Anne, âgée de 18 ans : « Elle avait fort évité de nous regarder, sa mère et moi, pendant la cérémonie, de peur d'être attendrie du trouble où nous étions... Une religieuse ancienne lui fit embrasser sa mère et sa sœur aînée, qui étaient là auprès, fondant en larmes. Elle sentit tout son sang se troubler à cette vue. Elle ne laissa pas d'achever la cérémonie avec le même air modeste et tranquille qu'elle avait eu depuis le commencement... Tout cela a fait un terrible effet sur

1. F. BRUNOT, *Histoire de la langue française*, t. IV, 1re partie, p. 33.

l'esprit de ma fille aînée, et elle paraît dans une fort grande
agitation... » Sans doute y a-t-il une différence essentielle
entre la contagion émotive qui est décrite ici et la cérémonie
théâtrale. Celle-ci repose sur une fiction, reconnue comme
telle par le public le plus ému ; d'autres cérémonies religieuses, comme la messe ou les funérailles, sont commé-
moratives ; on peut encore, si l'on veut insister sur leur
valeur de spectacle, les appeler représentatives ; mais elles
ne comportent pas, comme la cérémonie de mariage ou
celle de prise de voile, une valeur d'engagement. L'engagement d'Anne Racine prononçant ses vœux est un acte
grave, qui n'est ni fictif ni représentatif ; il est réel, et par
suite l'action qu'il produit sur sa famille n'est nullement
« mystérieuse », comme le veut le *Dictionnaire* ; elle est
aisément compréhensible.

Il en va tout autrement lorsque Bossuet, membre de
l'Académie française depuis 1671 et qui aurait pu, tout
comme Racine et sans doute à meilleur titre que lui, participer à la rédaction de l'article *Cérémonie*, nous rapporte
l'action, incompréhensible en termes purement humains,
d'une certaine messe. Dans l'oraison funèbre d'Anne de
Gonzague, Princesse palatine, prononcée en 1685, il relate
les propres paroles de cette princesse lorsqu'elle était sur le
point de se convertir : « Tout ce que je lisais sur la religion
me touchait jusqu'à répandre des larmes. Je me trouvais à la
messe dans un état bien différent de celui où j'avais accou-
tumé d'être... Il me semblait sentir la présence réelle de
Notre-Seigneur, à peu près comme l'on sent les choses
visibles et dont l'on ne peut douter. »

Un phénomène du même ordre est évoqué par Jean-
Jacques Rousseau, qui pouvait, dans le *Dictionnaire* de
l'Académie française en usage de son temps, trouver la
même définition du mot *cérémonie*. Julie, dans la *Nouvelle
Héloïse*, raconte à Saint-Preux la cérémonie de son mariage
avec M. de Wolmar, et cette cérémonie, en apparence du
moins, est aussi empreinte de transcendance que la messe
de la Palatine. L'héroïne de Rousseau est « menée au Temple

comme une victime impure, qui souille le sacrifice où l'on va l'immoler ». Mais la cérémonie va immédiatement, réellement et durablement, bouleverser ses sentiments et ses idées. L' « émotion », la « terreur » même de Julie viennent d'abord du « lieu simple et auguste, tout rempli de la majesté de celui qu'on y sert ». L'action de la cérémonie est d'abord physique : « Une frayeur soudaine me fit frissonner ; tremblante et prête à tomber en défaillance, j'eus peine à me traîner jusqu'au pied de la chaire. Loin de me remettre je sentis mon trouble augmenter durant la cérémonie... » L'atmosphère joue un rôle important : « Le jour sombre de l'édifice, le profond silence des spectateurs, leur maintien modeste et recueilli, le cortège de tous mes parents, l'imposant aspect de mon vénéré père, tout donnait à ce qui s'allait passer un air de solennité qui m'excitait à l'attention et au respect, et qui m'eût fait frémir à la seule idée d'un parjure. Je crus voir l'organe de la Providence et entendre la voix de Dieu dans le ministre prononçant gravement la sainte liturgie. » De tous ces prestiges résulte une sorte de miracle : « Tout cela me fit une telle impression que je crus sentir intérieurement une révolution subite. Une puissance inconnue sembla corriger tout à coup le désordre de mes affections et les rétablir selon la loi du devoir et de la nature. » Désormais Julie sera fidèle à son mari « jusqu'à la mort »[2]. Dans ce pénétrant récit, l'héroïne analyse les moyens d'action de la cérémonie en même temps qu'elle les subit. Mais Jean-Jacques, avec sa rouerie habituelle, a soin de ménager la place de l'illusion. Dieu (ou, dans un autre contexte, le tragique qui le remplacerait) n'a pas vraiment parlé. Il a été remplacé par un décor. Mais telle est la vertu de la cérémonie que le personnage a cru à la transcendance et lui a obéi.

Une leçon est transmise par ces chocs émotifs. La cérémonie qui atteint son but revêt une valeur didactique. Mais

2. *La Nouvelle Héloïse*, IIIe partie, lettre 18, dans les *Œuvres complètes*, Gallimard, t. II, pp. 353-354.

ce qui est enseigné est proprement indicible, car il appartient à l'ordre du sentiment, non de la connaissance. Bossuet en était assez convaincu pour s'écrier, dans l'oraison funèbre d'Henriette d'Angleterre qu'il prononce en 1670 : « Je veux dans un seul malheur déplorer toutes les calamités du genre humain, et dans une seule mort faire voir la mort et le néant de toutes les grandeurs humaines. » C'est exactement l'ambition de la cérémonie tragique. Le théâtre, qui, par un contenu fictif, produit une émotion réelle, a la même structure double que la pensée religieuse, à la fois inscrite dans le monde et se référant à un Dieu. La notion de Providence soumet la causalité historique à une volonté divine, comme la notion de tragique implique, derrière le déroulement rationnel des faits, quelque intention cachée qui les suscite. Semblablement, la notion de cérémonie, telle qu'elle est révélée par le premier *Dictionnaire* de l'Académie, implique à la fois des formes belles et graves, comme chacun sait, mais aussi, cachées derrière ces formes et les mettant en mouvement, des puissances dont l'efficacité parvient jusqu'à un public. Certes, le principe esthétique est d'une grande généralité et ne saurait être considéré comme spécifique de l'art racinien. En un sens tout théâtre, et même toute œuvre d'art, est cérémonie. Ce qui rend fructueux l'ancrage du principe dans ce moment particulier de l'histoire qu'est le théâtre de Racine, c'est d'abord que la tragédie de ce temps, plus que d'autres, était revêtue d'une valeur de cérémonie incontestée. C'est ensuite que la notion de cérémonie est d'une souplesse qui va jusqu'à l'ambivalence. A la transcendance cérémonielle imposant le respect s'oppose, selon les définitions des dictionnaires, l'accusation de pratiques ou de gestes de pure convention, sans sincérité, superflus et à la limite légèrement ridicules. C'est pourtant ce glissant instrument d'analyse qui devra guider la recherche dans les trois niveaux esthétiques sur lesquels se déploie la cérémonie racinienne, le tragique, le dramatique et le poétique. Ces trois entités, dont aucune n'est simple, sont les lieux où Racine a fait jouer les ressorts de son théâtre, sur lesquels il ne s'est jamais véritablement expliqué. A la lumière de la notion de cérémonie, on verra peut-être qu'ils recèlent, comme la cérémonie elle-même dont ils monnayent les douteux et contestables prestiges, des contradictions créatrices, et que celles-ci sont propres à Racine. Cette notion double, donc trompeuse par sa structure même, engendre les tromperies dont est fait le théâtre.

PREMIÈRE PARTIE

La cérémonie tragique et sa contradiction

Mort et renaissance du tragique

A / LES LIMITES DU TRAGIQUE

Comme le mot *cérémonie*, le mot *tragique* mérite une recherche attentive dans les dictionnaires, et cette recherche met en lumière le fait que l'essence du tragique telle que nous l'entendons aujourd'hui et qui dénote l'action d'une force dépassant l'homme n'apparaît pas aux époques où le genre tragique était le plus assidûment cultivé et est en tout cas totalement étrangère à Racine comme à ses contemporains. Le premier *Dictionnaire* de l'Académie française, celui de 1694, définit l'adjectif *tragique* de la manière la plus simple et la plus dénuée de toute résonance métaphysique : « Qui appartient à la tragédie. » Exemple : « poème tragique ». Il ajoute : « Il se prend substantivement pour le genre tragique », comme dans : « Ce poète s'applique au tragique. » Il indique ensuite le sens figuré de « funeste ». Mais les leçons ou les mystères que notre époque croit trouver dans le « tragique » n'effleurent pas ses rédacteurs. Même réserve et même refus de toute transcendance dans la dernière édition du *Dictionnaire* de l'Académie française, celle de 1932. On n'y trouve que : « Qui appartient à la tragédie », et, au figuré : « Funeste, terrible, alarmant. » Il faut attendre le *Dictionnaire* de Robert pour qu'apparaisse une prise de position sur le problème métaphysique du tragique. Sa définition est la suivante : « Qui est propre à la tragédie, c'est-à-dire évoque une situation où l'homme prend douloureusement conscience d'un destin ou d'une fatalité qui pèse sur sa vie, sa nature ou sa condition même. » Elle illustre une conception fort répandue à notre époque, mais qu'on chercherait en vain, du moins sous forme de vérité objective, chez Aristote, Shakespeare, Corneille ou Racine. Destin, fatalité ne sont guère des notions fondamentales dans la pensée du XVIIe siècle. A l'image de la cérémonie, le tragique est, pour les contemporains de Louis XIV, équivoque. Sur la « cérémonie », le *Dictionnaire* de 1694 était plus généreux que les nôtres ; sur le « tragique », il l'est moins. Peut-être la notion était-elle pour lui moins riche ou moins évidente que pour nous.

Cette différence entre notre appétit de métaphysique et la discrétion des contemporains de Racine doit nous inciter à la plus grande prudence. Le tragique n'est peut-être pas, dans la pensée du XVIIe siècle, une caractéristique théâtrale dont on peut, sans risquer de se tromper, constater la présence ou l'absence. A la différence de notions largement débattues par les contemporains, par exemple la vraisemblance ou l'unification, le tragique n'est jamais évident. Il doit absolument réserver la possibilité d'erreur, voire de fraude, impliquée par sa désignation même. Si le dieu de la tragédie est nécessairement caché, la possibilité de conclure à son inexistence reste ouverte. Si la cérémonie est la voix du tragique, elle peut le traduire, le chanter, mais aussi le dissimuler. Parler de cérémonie tragique n'engage donc nullement à accepter que le tragique ait une existence en soi. Il est la transcendance qu'illustre la cérémonie, mais cette transcendance peut fort bien, comme le théâtre lui-même, être illusoire. Il suffit que quelqu'un, qui peut être un personnage ou même le public, croie à la réalité du tragique.

Pareille mise en question de cette réalité n'est pas limitée à la France de Louis XIV et recouvre un domaine qui, en droit, est universel, du fait qu'elle repose sur un fondement dialectique. Mais, si l'on confronte la revendication de tragique avec les instruments intellectuels qui lui sont liés au XVIIe siècle, on s'aperçoit qu'elle risque également d'avoir un fondement historique. Cet indispensable examen des frontières du tragique au temps de Racine nous contraindra peut-être à une révision déchirante.

B / LES ENNEMIS DU TRAGIQUE

1º Au XVIIᵉ siècle, le travail accompli par les drama-
turges français pour porter le genre tragique à son plus haut
point de perfection a créé des instruments dont plusieurs
sont incompatibles avec le « destin » ou la « fatalité » dans
lesquels Robert voit l'essence du tragique. Ces ennemis
du tragique ont eu pour conséquence de rendre de plus en
plus difficile, et à la limite impossible, l'expression d'un tragique authentique. Les ennemis de la fatalité, souvent dissimulés et que la critique ne s'est guère ingéniée à débusquer,
peuvent se trouver à différents niveaux de l'univers imaginaire de la tragédie, depuis Dieu jusqu'à l'homme. On
peut tenter de les énumérer. Le premier est Dieu lui-même.
Souvent monnayé en les divers dieux de l'Antiquité sans
perdre son rôle éminent dans la direction des affaires du
monde comme dans la structure littéraire de la tragédie,
il exerce nécessairement une action dans la création des événements du monde auxquels il s'est intéressé. On doit donc
se demander dans quelle mesure cette action est ou non
compatible avec celle d'une prétendue fatalité. Si l'on croit
réellement à un Dieu, comme dans la tragédie religieuse,
ou à plusieurs dieux, comme dans la tragédie à sujet païen,
la notion de fatalité est inutile, fait double emploi ou est
contradictoire. Si les dieux assument eux-mêmes la responsabilité de l'événement tragique, ils en apparaissent comme
coupables et ouvrent ainsi la voie à une interprétation
antireligieuse.

Ainsi Jocaste s'écrie dans la *Thébaïde* :

> Voilà de ces grands dieux la suprême justice !
> Jusques au bord du crime ils conduisent nos pas,
> Ils nous le font commettre et ne l'excusent pas !
> Prennent-ils donc plaisir à faire des coupables
> Afin d'en faire, après, d'illustres misérables ?[1]

1. Vers 608-612.

On peut toutefois, dans ce cas, renvoyer dos à dos ces pseudo-causes que sont les « grands dieux » et la fatalité, et leur substituer, en une perspective plus humaine, l'incroyable imprévision d'Œdipe : bien qu'averti de l'oracle, il n'a su éviter ni de tuer un homme en âge d'être son père, ni d'épouser une femme en âge d'être sa mère ; devenu chef d'Etat, il a oublié pendant vingt ans de rechercher les meurtriers de son prédécesseur... Plus la tragédie est humaine, moins elle a besoin de Dieu ou de la fatalité.

2º Le merveilleux est une autre instance de force surnaturelle et dissimulée, mais efficace, dont on doit se demander si elle peut servir à la fatalité d'auxiliaire ou de suppléant. Dans le théâtre de Racine, elle ne remplit nullement ce rôle. Au contraire, le merveilleux est doublé, chaque fois que c'est possible, d'une explication purement humaine et vraisemblable.

Les problèmes du sacrifice d'Iphigénie et le rôle du monstre marin dans *Phèdre* sont les exemples les plus remarquables, mais non les seuls, de l'apparition du merveilleux dans le théâtre de Racine. Il importe toutefois de noter qu'à côté de la croyance pleine et entière au miracle, dont est toujours préservé le rayonnement poétique, Racine a gardé la possibilité d'une explication rationnelle, totale ou partielle. Ce double registre est déjà pleinement visible dans la scène de l'apparition d'Hector sur son tombeau, dans *Andromaque*. Ni Andromaque ni Céphise ne doutent de la réalité de cette apparition. Mais le spectateur n'est pas tenu d'y croire de la même façon. Il peut aisément penser qu'Andromaque, méditant à côté de la tombe de son mari, a eu, de la manière la plus naturelle, les idées qu'elle expose ensuite à sa confidente. Dans *Iphigénie*, tout suggère, mais en réalité rien n'impose la réalité d'une intervention divine. Les seuls éléments objectifs sont les suivants : les termes de l'oracle ont été « prononcés par Calchas »[2], non par une

---

2. Vers 56.

divinité ; après les conflits qu'ils provoquent et qui constituent le contenu de la tragédie, Eriphile se suicide ; immédiatement après (« A peine son sang coule... »[3]) l'orage éclate, et Racine consacre sept vers[4] à détailler des indications météorologiques remarquables moins en elles-mêmes que par leur soudaineté. Ulysse, qui fait ce récit, n'y insiste que pour souligner la possibilité d'une interprétation merveilleuse : les dieux ont répondu, ils ont enfin envoyé les vents nécessaires à la flotte grecque. Coïncidence ou miracle ? Le choix du spectateur reste ouvert. Ulysse ne dit absolument rien qui implique la nécessité d'une action surnaturelle. Il ne mentionne ensuite la croyance à une telle action que comme émanant des milieux populaires, habituellement tenus en piètre estime par la tragédie : seul le « soldat étonné » croit avoir vu Diane intervenir personnellement[5]. Racine lui laisse la responsabilité de cette assertion.

Sur ce point, comme sur d'autres, *Phèdre* occupe dans la série des tragédies de Racine une position unique. La réalité du monstre marin ne paraît pas pouvoir y être contestée. Appelé par la prière qu'adresse Thésée à Neptune, longuement décrit par Théramène, blessé par Hippolyte, le monstre effraie bien réellement les chevaux de celui-ci et provoque la catastrophe. Bien que les chevaux aient parfois la réputation de s'effrayer pour des ombres, l'existence du monstre doit être tenue pour réelle, aussi bien à cause des détails que fournit Théramène que pour des raisons plus générales qui tiennent à l'économie de la fable. Le monstre est indispensable dans toute la mesure où Neptune, son maître, est un personnage actif de la tragédie. Du moins Racine a-t-il pris soin de justifier psychologiquement la défaite d'Hippolyte. D'autres héros, par exemple Jason ou Persée, ont vaincu des monstres. Si Hippolyte n'a pas pu le faire, c'est qu'il a été en quelque sorte désarmé par

3. Vers 1777.
4. Vers 1778-1784.
5. Vers 1785-1788.

l'amour. Le texte le souligne avec la plus grande précision. Théramène au premier acte dit à Hippolyte :

> On vous voit moins souvent, orgueilleux et sauvage,
> ...
> Rendre docile au frein un coursier indompté[6].

Et Hippolyte lui-même, au deuxième acte, avoue à Aricie :

> Mes seuls gémissements font retentir les bois
> Et mes coursiers oisifs ont oublié ma voix[7].

La « voix » ici, le « frein » là auraient peut-être sauvé Hippolyte au moment du danger. Mais les chevaux qu'Hippolyte, tout à son amour, a négligés n'obéissent plus. Le récit de Théramène a soin de mentionner à nouveau le « frein » et la « voix » :

> La frayeur les emporte, et sourds à cette fois,
> Ils ne connaissent plus ni le frein ni la voix[8].

En même temps qu'il met en lumière le maximum de ce qui est explicable par des raisons humaines, Racine ne laisse pas de réserver la possibilité d'une intervention surnaturelle, comme si le monstre ne lui suffisait pas. Théramène ajoute, parlant des mêmes chevaux :

> On dit qu'on a vu même en ce désordre affreux
> Un dieu qui d'aiguillons pressait leur flanc poudreux[9].

Ce n'est qu'un on-dit. On peut le rejeter dans la catégorie des superstitions populaires, comme ce qu'a cru voir le « soldat étonné » d'*Iphigénie*. Mais on peut aussi admettre que Neptune, ou l'un de ses subordonnés, a voulu parachever son œuvre. *Phèdre*, tout en poussant le plus loin possible l'explication rationaliste, est une pièce exceptionnelle en ce qu'elle fait au surnaturel une place authentique.

Un passage d'*Athalie* montre bien comment Racine

6. Vers 129-132.
7. Vers 551-552.
8. Vers 1535-1536.
9. Vers 1539-1540.

tient à conserver à la fois le traitement réaliste et le traite- ✗
ment mythique d'un même événement. Le spectateur sait
fort bien comment Joas a jadis été sauvé par Josabeth,
puisque celle-ci le rappelle à son mari au début de la tragédie : alors qu'Athalie et ses soldats assassinaient tous les
enfants d'Ochosias, Joas, « laissé pour mort »[10], a été
recueilli, soigné et caché par Josabeth. Joad a révélé ces
faits aux « chefs des lévites »[11], mais le Chœur les ignore.
Pour lui, la résurrection de Joas est un miracle. Aussi « une
voix » du chœur, s'élançant sans contrainte sur les ailes de
l'imagination religieuse, chante-t-elle :

> Prince aimable, dis-nous si quelque ange, au berceau,
> Contre tes assassins prit soin de te défendre
> Ou si dans la nuit du tombeau
> La voix du Dieu vivant a ranimé ta cendre[12].

On assiste ici à la naissance du mythe. Au mépris de la
vérité historique, pour ne rien dire de la notion laïque de
vraisemblance, cette Voix du Chœur suppose d'abord que
Joas a été protégé par un ange contre ses assassins, puis
qu'il a été tué, et ensuite ressuscité. Dans la même pièce,
mais par des voies différentes, Racine propose du même fait
une explication humaine, vraisemblable et suffisante et une
autre merveilleuse, poétique, fondée sur la foi. L'auteur
d'*Iphigénie* n'a pas changé. Ce janséniste traite Dieu comme
il traitait Diane ou Neptune.

3° Au niveau des faits humains, la contingence, dont le
rôle dans le déroulement des actions dramatiques n'est pas
contestable, s'inscrit évidemment en faux contre le règne
de la fatalité. Or elle occupe dans le théâtre de Racine une
place qui n'est pas négligeable. Le meurtre de Britannicus,
l'exil de Bérénice, le suicide de Phèdre ne sont pas des
fatalités. Ce sont des développements imprévisibles au début

---

10. Vers 247.
11. Vers 1313-1322.
12. Vers 1494-1497.

de chaque tragédie, mais peu à peu causés par des actions et des réactions qui, à chaque fois, auraient pu être autres, et dont la sommation contingente provoque normalement le dénouement. Ce déroulement non fatal n'est en rien contredit par des invocations aux destinées que laissent échapper certains personnages. Ainsi le pari politique de *Bajazet* serait perdu, s'il fallait en croire le vizir Acomat à la fin de la tragédie, à cause des « destins ennemis »[13], et Atalide ne voit dans cet échec qu'une « cruelle destinée »[14]. La cause humaine la plus évidente en est pourtant la victoire du sultan Amurat, qui est contingente ; si Amurat avait été vaincu, tout se serait passé autrement.

Le quatrième ennemi de la notion de fatalité à l'époque de Racine est l'établissement même de la dramaturgie classique. La conception d'une solution préétablie pour le problème dramatique est en contradiction absolue avec le statut du personnage instauré par la nouvelle dramaturgie au XVIIe siècle et qui repose sur la volonté libre et active de ce personnage. Au siècle précédent, le héros passif de la tragédie de la déploration pouvait subir sans dommage les assauts d'un destin. A vrai dire, son être même n'était créé que pour supporter le poids de ce destin. Il y avait, ce qui était déjà bien suspect, harmonie préétablie entre l'enclume et le marteau. Mais quand le héros devient actif, et même volontariste, tout ce qui lui arrive est dans une large mesure son œuvre, et l'allégation d'une fatalité, qu'elle émane d'un personnage abusé ou d'un critique imprudent, est contraire aux faits. La critique racinienne a souvent sombré dans un fatalisme facile, d'autant plus trompeur qu'il s'exprime en formules plus impérieuses. C'est sans doute dans l'œuvre de M. Thierry Maulnier qu'on peut faire la plus ample moisson de telles formules. Il écrit, par exemple : « La catastrophe... est... la sanction prévisible et prévue d'une fureur que son imminence ne fait qu'exaspérer... De toute

13. Vers 1704.
14. Vers 1725.

éternité, Etéocle, et Phèdre et la race d'Atrée sont marqués :
ils se heurtent à la fatalité par nature et par essence... Racine
interdit à ses héros tout choix et toute fuite, et donne au
drame, dès son commencement, sa nécessité irréversible »[15].
Comme on ne s'attarde pas à prouver de si tranchantes et
si inexactes affirmations, on parvient dans une certaine
mesure à influencer une opinion mal informée. En fait,
l'emploi des termes qui impliqueraient, même à titre d'hypothèse, un certain fatalisme est rare chez Racine et dénote
souvent la mauvaise conscience ou la mauvaise foi. Si
« destin », contrairement à ce qu'il devrait être, est subjectif
et « sort » inauthentique, c'est que la fatalité, malgré les
prétentions de ses thuriféraires, n'est qu'une fausse cause,
ou une cause inventée plus tard, trop tard, pour expliquer
ce qui découle en réalité de la volonté d'un personnage ou
de l'arrangement objectif des faits ; dans la mesure où elle
est partout présente, cette objectivité s'oppose au règne
trompeur de la fatalité.

Ainsi l'Oreste d'*Andromaque* proclame :

Je me livre en aveugle au destin qui m'entraîne[16].

Il appelle ainsi sa résolution de convaincre Hermione ; plus
tard, le cours désastreux des événements du cinquième acte
permettra mieux encore aux âmes sensibles de s'apitoyer
sur la dureté de son « destin ». Mais, comme dira superbe-
ment Balzac des personnages de ses romans, il n'arrive que
ce qui doit arriver. Oreste est un demi-fou, plein de complaisance pour lui-même. Ses erreurs, son crime, viennent de
son aveuglement, non d'une fatalité extérieure. Rien ne
serait arrivé s'il avait mieux analysé la situation d'Hermione.
Celle-ci le lui dit très clairement, une fois qu'il est trop tard :

Ah, fallait-il en croire une amante insensée ?
Ne devais-tu pas lire au fond de ma pensée ?
Et ne voyais-tu pas, dans mes emportements,
Que mon cœur démentait ma bouche à tous moments ?

15. *Racine*, pp. 239, 240 et 246.
16. Vers 98.

> Quand je l'aurais voulu, fallait-il y souscrire ?
> N'as-tu pas dû cent fois te le faire redire ?
> Toi-même avant le coup me venir consulter,
> Y revenir encore, ou plutôt m'éviter ?[17].

Pour chacun des trois principaux personnages, *Mithridate* allègue le « destin » ou la « destinée »[18]. Mais en réalité, la tragédie résulte exclusivement des actions libres de ses héros. *Britannicus* montre de même que plus une attitude est fondée sur une motivation politique, moins elle fait de place à la fatalité. Aucun destin ne sépare Bérénice de Titus : seule joue la volonté de Titus, elle-même fondée sur des raisons.

Le cas d'*Iphigénie* est un peu différent, parce qu'ici l'intervention des dieux dans les destinées humaines, par le moyen de l'oracle, est réelle et non imaginée par les hommes. Les initiatives des individus n'en jouent pas moins un rôle important. Les maladresses d'Agamemnon, les emportements d'Achille ou de Clytemnestre orientent le drame. C'est surtout le personnage d'Eriphile, ajouté par Racine à la tradition, qui se réfère à son destin, alors que son amour pour Achille suffit à expliquer ses actions. Avec bon sens, sa confidente lui fait observer :

> Ne valait-il pas mieux, renfermée à Mycène,
> Eviter les tourments que vous venez chercher
> Et combattre des feux contraints de se cacher ?[19].

Les justifications d'Eriphile ont la faiblesse d'une métaphysique vide de tout contenu réel :

> Au sort qui me traînait il fallut consentir.
> Une secrète voix m'ordonna de partir[20].

La « secrète voix » ne se limite pas à cet ordre. Elle suggère à Eriphile un assez étrange plan de campagne : approchant Achille et Iphigénie, la jeune fille pourrait leur communi-

17. Vers 1545-1552.
18. Vers 153, 1218 et 1640.
19. Vers 510-512.
20. Vers 515-516.

quer, par une sorte de contagion, son « infortune », un de ses
« malheurs », qui « se répandrait sur eux »[21]. Il s'agit donc
d'une conduite magique, comme l'est la croyance à la fatalité
elle-même. Mais le déroulement de la pièce ne se conforme
nullement à ce plan. Son malheur, en réalité, Eriphile l'a
bien cherché. Elle est venue en Aulide pour accumuler
contre Iphigénie tant de trahisons que le spectateur finisse
par accepter qu'elle soit sacrifiée. Elle fait jouer contre
la fille d'Agamemnon une vague espérance qu'elle appelle
le « sort », mais aussi, dans le même vers, sa « haine »[22]
pour elle. Calchas, aussi prudent que Racine, attribue la
mort d'Eriphile à deux causes simultanément : « sa noire
destinée » et « ses propres fureurs »[23]. La destinée n'est
qu'une étiquette accrochée aux passions. Ce réalisme psychologique est assez solide pour se permettre d'être entouré
par un surnaturel qui n'est ici qu'un décor. Le dénouement
d'*Iphigénie* aurait pu résulter d'une enquête sur l'identité
de l'inconnue. Racine a préféré faire parler directement
le dieu qui avait rendu l'oracle, au moment d'en proposer
la juste interprétation. Calchas,

> L'œil farouche, l'air sombre et le poil hérissé,
> Terrible, et plein du dieu qui l'agitait sans doute[24],

parle donc sous l'effet d'une inspiration divine.

Un détail de *Phèdre* montrera bien la fonction de dissimulation qui est celle du « sort ». Thésée, à peine de retour,
éprouve le besoin de rendre compte de l'étrange équipée
dans laquelle il a accompagné son ami Pirithoüs, qui voulait
enlever la femme du tyran d'Epire. Il ne servait, dit-il,
qu' « à regret » les « desseins amoureux »[25] de son ami.
Pourquoi se croyait-il obligé de les servir néanmoins, c'est
ce que le texte ne dit pas. Même discrétion sur la piteuse

21. Vers 517-520.
22. Vers 764.
23. Vers 1757-1758.
24. Vers 1744-1745.
25. Vers 959.

issue de l'expédition : Pirithoüs tué, Thésée en prison pendant six mois. C'est ce que le héros de l'affaire exprime en disant :

> Mais le sort irrité nous aveuglait tous deux[26].

La façon dont Thésée est sorti de prison est évoquée avec les mêmes brouillards métaphysiques :

> Les dieux, après six mois, enfin m'ont regardé.
> J'ai su tromper les yeux de qui j'étais gardé[27].

On n'en saura pas davantage.

Lorsqu'on passe de ces dieux pluriels au Dieu de l'Ancien Testament, la fausse explication par la fatalité n'est naturellement plus de mise. Il suffit qu'on comprenne qu'à travers les périls d'*Esther* et d'*Athalie*, Dieu assure la continuité de l'existence du peuple juif. Encore la pieuse *Esther*, se souvenant des accusations de la *Thébaïde*, ose-t-elle brandir le drapeau un peu flétri de la révolte contre l'injustice divine. « Une des plus jeunes Israélites », peut-être précisément à cause de sa grande jeunesse, se permet de chanter :

> Hélas, si jeune encore,
> Par quel crime ai-je pu mériter mon malheur ?[28].

5º Notre époque apporte un regard nouveau sur ce problème historique. Les comptages que permet l'ordinateur attestent en effet que, dans le vocabulaire de Racine, la part réservée aux allégations de fatalité est des plus modestes. Dans son théâtre et ses poésies, Racine n'emploie en tout que 4 088 mots. Si l'on met à part les simples outils grammaticaux, les plus fréquents parmi les mots significatifs sont tous des verbes. En tête de leur liste vient « voir » (1 156 exemples), susceptible de nombreux emplois, puis « faire », « pouvoir », « vouloir » et « aller », représentés respectivement par 1 115, 1 082, 763 et 678 exemples.

26. Vers 960.
27. Vers 967-968.
28. Vers 325-326.

Ces quatre verbes se réfèrent évidemment tous à une action libre et volontaire. Au bas de la même échelle statistique, on trouve « destin », employé 48 fois, « destinée », avec 26 exemples, l'adjectif « fatal », 56 fois. Le mot « sort » est un peu mieux partagé, avec 126 exemples ; mais l'ordinateur y a inclus « il sort », du verbe sortir. Quant au mot « fatalité » lui-même, il n'est *jamais* employé par Racine : jamais[29].

6⁰ Enfin et surtout, la notion qu'il convient d'interroger et de peser avec soin dans ce débat où son rôle est évidemment essentiel, est celle de liberté. L'activité rationnelle du personnage, même dissimulée par son discours, implique une liberté qui est peut-être l'ennemi le plus redoutable de l'interprétation fataliste du tragique. Certes, liberté et fatalité ne sont pas forcément des instances contradictoires, dont l'une exclurait nécessairement l'autre en totalité. Le problème de l'interprétation de la tragédie est dialectiquement semblable au problème essentiel de la théologie qui agitait les esprits au temps de Racine : la Grâce de Dieu et la liberté de l'homme ne sont niables ni l'une ni l'autre ni pour les Jésuites ni pour les Jansénistes ; il s'agit seulement de définir leurs rôles respectifs. La critique conservatrice, qui, dans la tragédie, fait la part la plus belle au destin, et que, pour cette raison, on pourrait appeler la critique fataliste, réserve pourtant, à l'intérieur d'un développement dont la fin, à défaut des acheminements, est connue, une part à la liberté du personnage, même si celle-ci ne s'exerce qu'en vain. Mais le destin n'est pas, dans Racine, un personnage de la tragédie, son propos n'est pas révélé à l'avance et il n'est question de lui que par des allusions souvent vagues ou par ce qu'une réflexion postérieure peut tenter de dégager. Il paraît donc de meilleure méthode, puisque les personnages disent ce qu'ils veulent et ce qu'ils font,

---

29. Ces données sont extraites du précieux livre de Freeman et Batson, *Concordance du théâtre et des poésies de Jean Racine*, qui relève systématiquement toutes les occurrences de tous les mots dans les œuvres en vers de Racine.

de partir de la notion de liberté, pour tenter, après l'avoir analysée, de voir quelle est la place véritablement occupée par la fatalité dans le système de la tragédie.

La liberté est d'abord impliquée par la responsabilité, puisque, pour être coupable, il faut avoir pu ne pas l'être et avoir eu l'occasion de choisir librement entre faire ou ne pas faire l'acte réprouvé. Or les personnages de Racine ont un sentiment aigu de leur responsabilité ; souvent ils se jugent, et souvent ils se punissent. Dans des situations changeantes, Phèdre ne cesse de se torturer avec des scrupules moraux qui n'auraient pas de sens si sa liberté d'agir n'avait pas été totale. Atalide conclut *Bajazet* en affirmant, ce qui est bien discutable, qu'elle est responsable, et même la seule responsable, du dénouement tragique : Bajazet est mort, dit-elle, « par mes artifices », « mes injustes soupçons », « mes funestes caprices », « par mon crime »[30] ; sa mort n'est imputable « qu'à mes fureurs »[31]. Et encore :

> Oui, c'est moi, cher amant, qui t'arrache la vie ;
> Roxane ou le Sultan ne te l'ont point ravie ;
> Moi seule, j'ai tissu le lien malheureux
> Dont tu viens d'éprouver les détestables nœuds[32].

Toute initiative de tout personnage est une affirmation de sa liberté. Comme la tragédie ne dure que quelques heures, les initiatives s'y succèdent rapidement et cette sorte de liberté est ainsi inscrite de la manière la plus étroite dans un cadre temporel. Phèdre souligne bien la rapidité du tragique de la décision libre lorsqu'elle dit à Œnone :

> Je mourais ce matin digne d'être pleurée ;
> J'ai suivi tes conseils, je meurs déshonorée[33].

A tout moment de la journée tragique, Phèdre était libre de refuser les conseils d'Œnone ; cette journée n'est même

---

30. Vers 1721-1724. Tout ce développement sur la liberté reprend, avec de nombreuses modifications, mon article sur La liberté du personnage racinien, publié dans l'ouvrage collectif du CNRS, intitulé *Le théâtre tragique*, en 1962.
31. Vers 1728.
32. Vers 1729-1732.
33. Vers 837-838.

tragique que parce que Phèdre y a choisi une direction qu'elle va bien vite condamner.

Sur un autre plan, le personnage racinien possède la faculté de choisir entre les diverses obligations qu'il estime être les siennes et dont l'ensemble constitue sa situation dramatique. Certes, le choix est souvent difficile : les problèmes de la cour de Pyrrhus, ceux de la cour de Néron ne sont pas simples. On ne saurait toutefois prétendre qu'aucune bonne solution n'est possible. Seuls la passion ou le désespoir, qui sont instruments d'aveuglement, peuvent ne voir aucune issue. En fait, le réseau d'obligations qui constitue le drame serait un problème absurde s'il n'admettait aucune ouverture d'aucune sorte. Semblablement, le nœud de toute pièce de théâtre peut être défini comme proposant un choix assez difficile pour que le spectateur ne puisse pas le faire, mais que pourtant dégagera le progrès de l'action.

Ici, les critiques fatalistes ne manqueront pas d'objecter qu'une vue impartiale de la situation est impossible aux héros de Racine, aveuglés qu'ils sont par leur passion ; l'amour serait pour eux une sorte de fatalité intérieure, paralysant leur libre choix. Ce n'est pas vrai de tous les personnages de Racine ; et surtout, tous ont la liberté, dont ils n'usent pas tous, de fuir l'amour. L'absence les guérirait. Burrhus et Titus le savent. La liberté de fuir l'amour est donc intimement liée à la considération du lieu où se trouvent les personnages. Un déplacement, ou une absence de déplacement ont généralement des conséquences tragiques. Ainsi Eriphile, dans *Iphigénie*, est venue, par amour, chercher en Aulide la tragédie dont elle périra. *Phèdre* montre avec plus de précision encore comment le séjour des personnages à Trézène ou à Athènes détermine l'évolution de leurs sentiments. L'amour de Phèdre pour Hippolyte naît dans Athènes. Quand elle a pu le faire exiler, elle respire ; ses jours coulent « dans l'innocence »[34]. Mais Thésée, instru-

34. Vers 298.

ment de son propre malheur, la conduit à Trézène, où elle revoit Hippolyte : sa blessure trop vite saigne aussitôt, démontrant par cette contre-épreuve l'efficacité de l'absence. Certes, la liberté de fuir la présence dangereuse de l'être aimé n'est pas donnée à tous les personnages de Racine. On ne sort point facilement du palais de Néron, ou du sérail que domine Roxane. Mais, devant les situations inaccep- tables, un chemin souvent évoqué demeure : la mort. Plu- sieurs répliques montrent qu'elle n'est point pour le héros le mal suprême, et qu'elle peut même apparaître parfois comme la meilleure solution. Ainsi Bajazet peut proclamer :

> La mort n'est point pour moi le comble des disgrâces[35]

et Phèdre demander :

> Est-ce un malheur si grand que de cesser de vivre ?[36]

Au total, le personnage racinien possède trois sortes de libertés : celle, impliquant la responsabilité et dont l'exercice doit se manifester dans le temps de la tragédie, de ne pas persévérer dans l'erreur passionnelle ; celle de surmonter ou de refuser l'obstacle ou le dilemme, et c'est là la liberté dramaturgique par excellence ; enfin celle de quitter, au besoin par la mort volontaire, l'endroit dangereux pour l'intégrité de la personne morale. Ces trois libertés corres- pondent donc exactement aux obligations maîtresses de la dramaturgie contemporaine, puisqu'elles s'inscrivent res- pectivement dans les cadres de l'unité de temps, de celle d'action et de celle de lieu.

Dans les limites extrêmement contraignantes de la situa- tion tragique à l'époque classique, ces trois libertés ne peu- vent jouer que de façon très restreinte ; c'est bien pourquoi tant de critiques ne les ont pas aperçues. Le temps, l'espace et l'invention leur sont étroitement mesurés. Il y a d'elles un bon usage qui les conserve : le premier devoir de la

35. Vers 609.
36. Vers 858.

liberté est de faire durer la liberté. Et il y en a un mauvais usage qui est aliénation. L'amour, entre tous les sentiments, peut présenter l'un ou l'autre de ces deux visages. Il peut triompher soit par élimination des obstacles, comme dans *Mithridate* ou *Iphigénie*, soit par son propre sacrifice, comme dans *Bérénice*. Mais il peut aussi trahir et provoquer les catastrophes, comme dans *Andromaque, Britannicus, Bajazet* ou *Phèdre*. Alors naît le destin. En effet, l'aliénation de sa liberté par le personnage est une trahison à la fois pour lui-même, pour la personne qu'il croit aimer et pour l'humanité tout entière. Il soumet la condition humaine à l'esclavage, et ce crime mérite une punition. Que cet esclavage puisse s'exprimer par les termes démodés de la phraséologie précieuse, les fers, les feux, les chaînes, la prison, n'en atténue pas la gravité. De sorte que le personnage, incapable de contempler l'image insupportable de son esclavage volontaire, recourt à un tragique de la fabulation. La faute ne sera pas à lui, mais à une puissance surnaturelle, Vénus ou quelque autre divinité malveillante. Le paysage ainsi fabulé peut être d'une très grande résonance poétique. Une interprétation purement humaine maintiendra qu'il n'existe néanmoins que dans l'imagination de la victime. Par ce détour, l'aliénation qui pouvait être le dernier ennemi de la fatalité parvient paradoxalement à la sauver et conserve au tragique dans l'univers racinien une place moins simpliste que ne le voulaient les critiques fatalistes. Tragique voulu, cherché, construit, résultant d'un retour du personnage sur lui-même, tragique subtil puisque la fatalité, parce qu'elle est inexplicable par définition, est exclue de la structure cohérente qu'est le théâtre racinien, mais tragique réel, imposé non par quelque puissance issue du monde tel qu'il est ou d'une entité surnaturelle, mais de la défaillance même de celui qui en souffre. Le poète n'a pas pu y renoncer totalement et n'avait aucune raison d'y renoncer. Dans cette perspective, le tragique a beau être miné par les significations qu'une lecture attentive de l'œuvre peut dégager, il est néanmoins une tentation toujours présente dans son ambiguïté. Il faut que l'aspiration au tragique ait été bien forte chez Racine et chez ses contemporains pour que, malgré tout ce qui aurait dû l'exclure, il ait trouvé une place dans la cérémonie qui lui est consacrée.

C / LA STATUE DE MITYS

L'ambiguïté du tragique n'est naturellement pas propre à Racine. Elle est au contraire une catégorie fondamentale de l'esthétique, comme on peut s'en assurer en interrogeant sur ce point la *Poétique* d'Aristote, dont Racine a traduit en français les principaux passages. Contrairement à une opinion superficielle fort répandue, Aristote, dans cet ouvrage, ne traite jamais la question proprement dite du tragique. Il se borne à analyser les conditions auxquelles doit obéir la tragédie. La réflexion sur la véritable cause des événements tragiques n'apparaît qu'au détour d'une phrase, dans une sorte de parenthèse, que pour cette raison la traduction cursive de Racine n'a pas retenue, et qui évoque l'étrange anecdote de la statue de Mitys. Ce Mitys avait été assassiné, et un jour sa statue tomba sur son assassin et le tua. Si l'on cherche à mettre en accusation la statue vengeresse, il semble que trois niveaux d'interprétation soient seuls possibles. Le premier est celui de la coïncidence. C'est par hasard que la statue est tombée à ce moment-là sur cet homme-là. Il est évident que cette réponse n'a rien de tragique et qu'elle est à la fois décevante et irritante. Une deuxième réponse consistera à dire qu'un dieu a voulu cette chute de la statue. Elle n'est guère plus admissible que la précédente, en ce que le *deus ex machina*, utilisé parfois dans la tragédie grecque, a été honni par la tragédie française, qui l'accuse d'être contraire à l'intérêt dramatique. Si l'action du dieu est aussi claire que peut l'être celle d'un personnage, point de mystère tragique et l'incident retenu par Aristote perd toute vertu.

C'est en effet dans une zone d'obscurité volontaire que

doit se situer le troisième niveau d'explication, le seul acceptable, de l'affaire Mitys. Aristote dit d'ailleurs que si la chute de la statue est accidentelle, elle semble avoir un but. Semble : le tragique n'est jamais que ce qui semble. Toute explication le détruit. Il ne se développe que dans une atmosphère d'incertitude moyenne, excluant les solutions tranchées du hasard et du miracle. Il ne s'épanouit que dans l'ombre. Quelque chose a peut-être joué. Mais il est impossible de dire ce que c'est. Le fait de ne pas savoir est tragique en lui-même, plus tragique que si les responsabilités étaient clairement définies, et peut-être n'y a-t-il rien d'autre dans le tragique que cette ignorance. Loin de sacrifier le tragique à des causalités fragiles, il faut admettre qu'il existe, mais sur un mode nécessairement douteux. L'être du tragique est un être de mauvaise foi.

C'est pourquoi le choix d'une statue pour l'illustrer est particulièrement heureux. Une statue est un objet inanimé, mais qui *semble* être un homme. Elle se situe dans l'intervalle tragique qui permet tous les passages. Dans la légende de Dom Juan, la statue du Commandeur, héritière de celle de Mitys, entraîne en enfer le meurtrier du Commandeur. Ni un homme ni un objet qui ne serait pas une statue n'auraient pu le faire. Une autre statue, qui joue le rôle d'un homme et en outre s'insère aisément dans un contexte historique, est l'héroïne du récit, beaucoup moins connu mais tout aussi démonstratif, de Pausanias[37] : « Quand Théogénès mourut, un homme qui, de son vivant, lui vouait une haine tenace, allait chaque nuit fouetter sa statue en bronze, pensant qu'il maltraitait ainsi Théogénès en personne. Et la statue elle-même mit fin au délire de cet homme, car une nuit elle tomba sur lui et l'écrasa. Mais les enfants du mort accusèrent la statue de meurtre, et les gens de Thasos — où vivait Théogénès — la jetèrent à la mer, obéissant ainsi

37. Traduction de J. LACARRIÈRE, *Promenades en Grèce*, p. 200, qui écrit Théagène. Théogénès était un boxeur célèbre, qui avait triomphé aux Jeux Olympiques et à d'autres Jeux.

à la prescription de Dracon qui, quand il formula ses lois
sur le meurtre, décréta passibles d'exil même les objets
inanimés s'ils ont tué quelqu'un par leur chute. Mais du
jour où ils eurent jeté la statue à la mer, la terre de Thasos
cessa de produire des fruits et les Thasiens, en désespoir
de cause, envoyèrent des messagers à Delphes. L'oracle
leur répondit de faire rentrer chez eux tous les gens qu'ils
avaient exilés. Les Thasiens obéirent, mais la terre continua
de rester stérile. Ils retournèrent à Delphes et dirent à la
Pythie qu'ils avaient, sans succès, exécuté ses ordres. Et
la Pythie leur répondit : « Vous n'avez pas donné l'amnistie
à votre grand Théogénès. » Alors les gens de Thasos s'en
retournèrent chez eux en proie au désespoir : comment
retrouver cette statue dans le fond de la mer ? Par chance,
des pêcheurs qui s'étaient éloignés vers le large accrochèrent
la statue dans leurs filets et la ramenèrent aux Thasiens.
Et depuis ce jour, la statue est toujours à sa place et les
gens de Thasos l'honorent à l'égal d'une divinité. » La
statue a joué un double et même un triple jeu : elle est à la
fois objet, homme et dieu.

D / TRANSFIGURATION ET FÉCONDITÉ DU TRAGIQUE

Le théâtre de Racine ne propose point de statues explicites. Mais il a assimilé les leçons d'Aristote et de ses successeurs en ce que, de l'impossibilité d'un tragique en soi, il a
tiré les conséquences les plus rigoureuses. Certes, la notion
de tragique, dans une perspective de création de tragédies,
est élusive. Elle ne renvoie à une explication que pour être
aussitôt détruite par cette explication même, et par suite
on ne peut avoir du tragique que le sentiment. Ce caractère
autodestructeur et apparemment illusoire de la notion de
tragique engendrerait un sentiment de déception et de frustration s'il n'était pas possible d'en récupérer la valeur
émotive à un autre niveau. Or le tragique métaphysique
exclu par la structure même de l'univers racinien apparaît

comme remplacé par un tragique esthétique. C'est la littérature qui, par des symbolismes divers, effectue la transfiguration du tragique. Celle-ci oblige à considérer que
l'univers a un sens et même plusieurs sens. Naturellement,
comme dans le sonnet des *Correspondances* de Baudelaire,
ces sens ne sont pas exprimables. L'effort pour assigner au
monde une signification dernière et l'impossibilité d'y parvenir, voilà sans doute une des contradictions qui définissent
le tragique. Enfin, et de la manière la plus évidente, les
fécondes contraintes des unités et la noblesse ininterrompue
du discours racinien constituent aussi des conditions esthétiques de la création du sentiment du tragique.

Celui-ci apparaît ainsi comme fondé non sur un ordre
caché du monde, mais sur la cérémonie littéraire. C'est
en devenant l'écrivain qu'il a été que Racine a sécrété le
tragique de ses tragédies. Il ne pouvait en être autrement
si, comme on l'a dit dans un autre contexte et avec un autre
vocabulaire, le message est le massage : le contenu intellectuel de ce qui est transmis est finalement moins important que l'effet sensoriel produit par le mode de transmission[38]. En d'autres termes, l'admiration causée par la rigueur
et la simplicité du mécanisme tragique n'est pas discernable
de la révérence éprouvée pour l'ordre mystérieux que l'on
appelle également tragique. L'absolutisme impitoyable
impliqué dans cet ordre passe au discours tragique lui-
même, d'abord au discours du poète, puis à celui du critique.
En effet, si le tragique métaphysique est indéfinissable par
définition, le tragique esthétique, lui, est contagieux. Il est
incitation à créer cette dure beauté qui se prétend tragique.
Quelque fatalité pousse le critique racinien à s'exprimer par
les voies d'un absolutisme tragique, à se faire Dieu, Neptune ou Racine par son discours.

Ce n'est pas seulement par la littérature en général que
le tragique peut être fécondé. C'est, plus précisément, par la
littérature dramatique. L'aliénation du personnage suscite

38. Marshall McLuhan, *The medium is the massage*, 1967.

une figure du destin qui est inauthentique, mais anthropo-
morphe, et ce quasi-homme — cette statue — peut exercer
sur l'action une influence maligne. On l'appelle parfois,
d'une manière peu heureuse, ironie tragique, bien qu'il n'y
ait nulle ironie réelle dans ce mécanisme. La désignation de
perversité tragique serait sans doute plus appropriée. On
peut définir cette sorte de tragique de la manière la plus
simple : il se produit le contraire de ce que les personnages avaient voulu. Ils voulaient être heureux, ils sont
malheureux. Ils voulaient vivre, ils meurent. Cette perversité est mise en œuvre grâce aux accessoires les plus conven-
tionnels et les plus constants de la tragédie. L'équivoque
de l'autel, qui remonte à l'Antiquité, est exploitée par
Racine avec prédilection. L'autel peut être le lieu de deux
cérémonies, celle du mariage et celle de l'immolation du
héros ; la première est une introduction trompeuse à la
seconde ; Andromaque et Pyrrhus, Iphigénie et Achille
croient s'y marier mais la vraie solution tragique est que
Pyrrhus et Eriphile y meurent. Les « nœuds »[39] de *Bajazet*,
allusions au mariage, se révèlent finalement les instruments
du supplice du héros étranglé. Le « bandeau »[40] de Monime,
insigne royal, a failli servir à son suicide. Comme les hommes,
les objets mentent. Ils ne sont introduits dans la tragédie
que pour mentir.

Une véritable pensée religieuse ne peut pas accepter
aisément ces conclusions qui impliquent une sorte de perfidie divine. Pour rendre à Dieu la dignité que la pratique
de Racine lui refuse, il sera nécessaire de ruser non seulement avec la structure dialectique de la notion de tragique,
mais aussi avec les ennemis que la dramaturgie contemporaine de Racine suscitait nécessairement à l'interprétation
tragique. Avec chacun de ces ennemis il est possible de
tricher. Dieu peut à la fois créer l'événement tragique et
en imposer après coup une interprétation que nul n'avait

39. Vers 1624 et 1732.
40. *Mithridate*, vers 1455-1458.

prévue. Plus généralement, l'homme, agissant librement dans un monde soumis moins au merveilleux qu'à la contingence, peut néanmoins être « floué » si Dieu, comme le croira Claudel, écrit droit avec des lignes courbes. Mais Racine n'est pas si habile géomètre. Rien n'indique qu'il ait pu croire, ou même soupçonner, que Dieu écrit droit avec des lignes courbes. Ses personnages restent seuls responsables, jusqu'à la fin.

Les âmes sensibles regretteront peut-être que le plus grand auteur tragique français — c'est Racine que je veux dire, et non Claudel — ne puisse pas, si l'on adhère à ces analyses, être considéré comme véritablement tragique. Ce paradoxe résulte nécessairement des contradictions constitutives de la notion de tragique. Sublime imposture, le tragique éblouit les émotions, mais, pour y parvenir, il doit dissimuler qu'il ne possède pas de centre solide. C'est ce qu'il a de commun avec la notion de cérémonie sur laquelle il s'appuie. Obligés de renoncer à l'existence métaphysique, le tragique et la cérémonie effectuent néanmoins, comme le disait avec justesse le *Dictionnaire* de 1694, une « action mystérieuse ». Grâce à cette action, le tragique que la raison condamnait est sauvé, à condition d'apparaître comme cérémonie. Il n'est de tragique que cérémoniel. Cette mutation du métaphysique à l'esthétique explique, entre autres, la puissance du théâtre racinien, mais sa portée est bien plus générale. Tout grand art naît du passage du métaphysique à l'esthétique, parce que ce passage dissimule le vide intérieur des notions de tragique et de cérémonie, en n'en laissant subsister que le rayonnement. Les deux notions sont en effet trompeuses en ce qu'elles ont chacune un intérieur et un extérieur. L'intérieur est puissance mystérieuse, volonté insondable d'un dieu ou d'une entité extra-humaine. Non seulement on ne peut que le supposer, mais de fortes raisons le rendent inopérant. L'extérieur au contraire est spectacle tragique. On peut y pleurer avec bonne conscience et savourer les prestiges de la cérémonie qui met en œuvre les énigmes de la tragédie.

E / LA VISION COMIQUE

L'auteur des *Plaideurs* a-t-il consciemment voulu intégrer des valeurs comiques à son univers tragique ? Ou bien a-t-il été trahi parfois par sa propre expression ou par le jeu trop appuyé ou maladroit de ses interprètes ? Toujours est-il que des témoignages, émanant de contemporains de Racine ou d'un public point trop éloigné de son époque, nous apprennent que l'on riait ou que l'on souriait à certains moments de ses tragédies. Le plus connu de ces témoignages est celui de l'abbé du Bos dans ses *Réflexions critiques sur la poésie et la peinture*, qui sont de 1719. Il écrit : « Le Parterre rit presque aussi haut qu'à une scène de comédie à la représentation de la dernière scène du second acte d'*Andromaque*, où Monsieur Racine fait une peinture naïve des transports et de l'aveuglement de l'amour véritable dans tous les discours que Pyrrhus tient à Phoenix son confident »[41]. L'aveuglement de Pyrrhus, ou sa préoccupation, se marque par le fait que, bien qu'il vienne de déclarer qu'il épouse Hermione, affirmant par là, à ses propres yeux, son renoncement à Andromaque, il ne peut s'empêcher de penser à celle-ci et de parler d'elle sans arrêt. Le dernier nom qu'il ait prononcé, à la scène précédente, est celui d'Hermione. Pourtant, lorsque oubliant pour une fois les contraintes de la grammaire il se réfère à deux reprises à « elle »[42], celle qu'il désigne par là est évidemment Andromaque, qui seule occupe sa pensée. Il est divisé contre lui-même. Il est le lieu d'une contradiction profonde entre ce qu'il prétend faire et son sentiment véritable. Cette contradiction le constitue en personnage tragique, mais elle prend ici des aspects susceptibles, effectivement, d'un traitement comique, en particulier à cause du rôle joué par le confident.

A cinq ou six reprises au moins dans cette scène, Phoenix,

41. Première partie, section 18, p. 126.
42. Vers 642 et 644.

qui contemple lucidement l'aveuglement de son maître, essaie, en vain d'ailleurs, d'interrompre un Pyrrhus qui se croit guéri de son amour et qui montre par chacun de ses mots qu'il est toujours amoureux. Les interventions de Phoenix, de plus en plus hardies et finissant par friser l'irrespect, donnent un singulier relief à ce confident. Après s'être contenté d'approuver les déclarations générales de son maître, avec le vain espoir de le confirmer dans son intention proclamée d'épouser Hermione, il doit endiguer un discours qui ne s'adresse qu'à Andromaque. Il dit :

> Mais laissez-la, seigneur.

Puis, plus énergiquement et avec une nuance de reproche :

> Commencez donc, seigneur, à ne m'en parler plus.

Enfin, il éclate :

> Quoi! toujours Andromaque occupe votre esprit!

Et il attribue cette préoccupation à un « charme », c'est-à-dire à une influence magique. Il contredit durement son maître quand celui-ci affirme qu'il ne veut revoir Andromaque que pour la braver :

> Allez, seigneur, vous jeter à ses pieds...[43].

A la fin de cette scène, Phoenix a en partie convaincu Pyrrhus, puisque le roi avoue qu'il ne sait plus quoi décider. Le mécanisme comique a montré que la situation est d'une tragique fragilité. Le rapprochement proposé par l'abbé du Bos avec une scène de comédie est donc confirmé par la considération de la présentation dramaturgique. A l'acte suivant, Pyrrhus rencontre à nouveau Andromaque. Tout en la voyant fort bien, il feint de ne pas la voir et prononce même des paroles qui sont un faux aparté, fait pour être entendu[44] : situation de comédie. Pyrrhus y témoigne d'une contra-

---

43. Vers 658, 664, 673 et 680.
44. Vers 890-893 et 898-900.

diction évidente entre son sentiment profond et l'attitude qu'il se force à prendre, et cette contradiction peut s'exprimer également par des nuances comiques.

Comme Pyrrhus, Titus est un homme qui, pendant toute la tragédie de *Bérénice* jusqu'à la fin exclusivement, est incapable de conformer sa conduite aux sentiments qu'il nourrit dans le fond de son cœur, et cette incapacité, tragique au fond, peut revêtir des aspects risibles. L'abbé de Villars, qui avait assisté aux premières représentations de la pièce, nous dit que Bérénice « a toujours fait et fera toujours rire le spectateur par ce vers qu'elle dit à propos pour sécher les larmes qu'elle avait causées :

> Vous êtes empereur, seigneur, et vous pleurez! »

et il ajoute : « Il n'y a personne qui ne rie en cet endroit des pleurs de cet empereur »[45], ce qui indique bien que c'est de Titus qu'on était tenté de rire, non de Bérénice. Voltaire se fera encore l'écho de ce qui semble constituer une tradition lorsqu'il reprochera à l'expression de Titus, « Je ne sais ce que je dis »[46], d'être « du style comique »[47]. La simplicité du contraste entre être empereur et pleurer comme un bourgeois, ou la simplicité prosaïque et quasi naïve d'une expression comme « Je ne sais ce que je dis » paraît à ces critiques habitués à identifier classes dirigeantes et expression élaborée manifester une chute dans le comique. Mais en réalité la phrase « Je ne sais ce que je dis » n'est en elle-même ni comique ni tragique, et un acteur qui le voudrait pourrait s'en servir pour faire pleurer. C'est la situation, non la forme, qui peut être interprétée en comique : Titus est passagèrement tenté de garder Bérénice auprès de lui, mais, devant le « Quoi, seigneur ? » de Paulin il fait marche arrière et s'excuse en quelque sorte par cette formule. On se trouve

---

45. Dans sa *Critique de Bérénice*. Le vers qu'il cite est le vers 1154.
46. Vers 121.
47. Les remarques de Voltaire sur *Bérénice* se trouvent à la suite de son commentaire sur *Tite et Bérénice* de Corneille.

donc ici en présence d'un domaine d'application des pertinentes définitions de Raymond Picard sur le passage du tragique au comique[48], et il est même possible de les préciser ainsi : il semble qu'un problème dramatique défini par une contradiction entre la conduite et le sentiment intérieur d'un personnage puisse recevoir une coloration tragique ou comique, mais que celle-ci se suggère plus aisément si est évoqué un mouvement, réel ou imaginé, plus ou moins proche de mécanismes comiques et trahissant l'embarras du personnage.

Convenant à Pyrrhus et à Titus, cette définition s'applique aussi à Roxane, dont pourtant aucun contemporain ne nous a dit qu'elle faisait rire. Roxane est constamment partagée entre son amour pour Bajazet et sa méfiance, parfaitement justifiée, envers le même Bajazet. Ses alternances douloureuses, tragiques pour elle, peuvent être vues autrement par un regard extérieur. Acomat les juge avec la même clairvoyance narquoise que Phoenix devant Pyrrhus lorsqu'il affirme que Bajazet « n'est pas condamné puisqu'on veut le confondre »[49].

La sortie de Mathan dans *Athalie* prête également le flanc à une possibilité d'interprétation comique. Dans une de ses très rares indications scéniques, Racine note que le personnage « *se trouble* »[50]. Son trouble se comprend sans peine par la colère prophétique de Joad, qui vient de lui prédire sa mort prochaine. Mathan se trompe de porte. Au lieu de marcher vers la sortie du temple, il se dirige vers la « demeure sacrée » des « ministres saints »[51], interdite aux profanes. Or Mathan n'est pas seulement un profane, il est un renégat. Il est

Né ministre du Dieu qu'en ce temple on adore[52].

48. Voir son article de 1969 cité dans la Bibliographie.
49. Vers 1410.
50. Vers 1040.
51. Vers 851.
52. Vers 923.

C'est donc entraîné par la force d'une habitude ancienne, et peut-être aussi égaré par Dieu, qu'il a fait ce faux pas. Son confident Nabal est obligé de lui dire :

> Où vous égarez-vous ?
> De vos sens étonnés quel désordre s'empare ?
> Voilà votre chemin[53].

Le geste de Mathan apporte avec lui une coloration comique, bien qu'il soit amplement motivé par des considérations tragiques.

Ce n'est qu'au prix d'une distorsion certaine qu'on accentuerait ces aspects de la tragédie racinienne. Tout personnage de tragédie a vocation de tomber dans le comique, mais il n'y tombe effectivement que si la situation qui est la sienne et qu'il ne domine pas est soulignée par un autre personnage en des termes qui évoquent un mécanisme de comédie. Une interprétation maladroite ou trop appuyée peut naturellement avoir aussi une influence. Au XVIIe siècle, le jeu des acteurs est noble et cérémonieux, même dans la comédie, et ne risque donc guère de provoquer des sourires qu'ils ne souhaitent pas. Par contre, le public, souvent critique, guette les occasions de dénaturer le sens des tragédies. Quant à Racine, non seulement il a écrit, avec les *Plaideurs,* une des comédies les plus impitoyables de son temps, mais, lorsque le texte de ses tragédies côtoie une possibilité de comique, il sait intégrer celle-ci avec une grande énergie, ce qui montre que la prise de conscience des matériaux de l'illusion théâtrale s'exerce chez lui à une grande profondeur. Elle possède donc le sérieux et l'ambition qui la rendent également capable d'une transfiguration tragique.

53. Vers 1042-1044.

Images de l'impossible choix

La cérémonie tragique varie naturellement en fonction des intrigues des diverses tragédies. Mais elle comporte aussi des éléments, sinon communs, du moins récurrents. Les schèmes que proposent ces éléments sont des réponses imaginaires aux dilemmes de la tragédie. Ils ont en commun l'acceptation d'une contradiction et sont donc des illustrations poétiques de la situation tragique elle-même. Faut-il, quand on dispose du pouvoir, frapper ou ne pas frapper ? L'un est aussi funeste que l'autre. Faut-il se laisser aller à des rêveries hallucinantes qui expriment le personnage sans l'éclairer ? Il n'a pas le courage de se refuser à cette descente aux enfers. Faut-il enfin parler ou se taire ? La tragédie vous adresse brutalement cette réponse absurde : ni l'un ni l'autre. La dialectique des contraires qui brille dans ces schèmes n'est autre que la transposition linguistique de celle du tragique même, proposant un choix en apparence impossible.

A / LE POUVOIR IMPUISSANT

Le schème du pouvoir impuissant, fréquent, mais non universel, dans la tragédie racinienne, peut se définir de la façon suivante. Un personnage dispose, dans le cadre de la tragédie, d'un pouvoir incontesté. Mais il est amoureux d'une personne qui ne l'aime pas, de sorte que tout son pouvoir ne lui sert en réalité à rien. Il ne peut forcer cette personne à l'aimer, il ne peut utiliser son pouvoir ni contre elle ni pour elle. Générateur d'angoisse par la difficulté d'en

trouver les solutions, ce schème illustre l'irréductibilité de
l'amour et transporte une partie des problèmes dramatiques
de l'opprimé à l'oppresseur. Racine ne l'a pas encore trouvé
dans ses deux premières tragédies, dont pourtant quelques
éléments lui indiquent cette direction. La question de savoir
qui exerce le pouvoir dans la *Thébaïde* ne comporte pas de
réponse simple. Etéocle règne, mais est entièrement absorbé
par sa lutte avec son frère ; on ne le voit prendre aucune
décision politique. Jocaste n'apparaît que comme déchirée
par la haine entre ses deux fils. Le seul qui ait une politique
est Créon ; il est l'homme fort du royaume ; quand tous les
candidats possibles au trône seront morts, il n'aura plus
qu'à recueillir le pouvoir. On peut donc admettre qu'il dispose, dans le cours de la pièce, d'une puissance réelle.
Mais il s'en sert bien mal. Il est dans la situation du futur
schème en ce qu'il aime Antigone, qui ne l'aime pas. Mais
cet amour est loin d'être sa préoccupation essentielle. Il est
bien trop absorbé par le souci de frayer sa route vers le trône
ou par les problèmes de ses deux fils. Il n'a jamais vis-à-vis
d'Antigone de geste qui mette en jeu la relation du pouvoir
et de l'amour. Bien que virtuellement intéressante, la
situation lui échappe.

 Alexandre propose deux applications du schème, mais
aucune n'est convaincante ni n'engendre de conséquences
dramatiques. Taxile aime Axiane, qui ne l'aime pas, et la
retient prisonnière dans son camp. Mais le schème ne
fonctionne pas pour lui, probablement parce qu'il n'est
pas encore né dans l'esprit de Racine, puisque Cléofile
dit à son frère, parlant d'Axiane :

> Maître de ses destins, vous l'êtes de son cœur[1].

Cette formulation deviendra une contre-vérité du théâtre
racinien ultérieur. En outre, le problème de Taxile tourne
court, puisque ce personnage est tué dans une bataille.
D'autre part, Alexandre aime Cléofile, qui a été sa pri-

---

1. Vers 807.

sonnière et est restée son ennemie. Mais c'est une ennemie
bien peu déterminée, puisqu'elle l'admire et l'écoute ; au
dénouement, elle acceptera de l'épouser.

Le thème de l'amour pour une ennemie, bien usé depuis
ses lointaines origines romanesques, et en lui-même bien
peu croyable, passe d'*Alexandre* à *Andromaque*, où il est
transfiguré. La guerre de Troie a offert un contexte de
violence qui permet de dépasser les timides évocations antérieures. Andromaque ne se contente pas d'en aimer un autre
ou d'avoir des sentiments mal définis comme étaient ceux
de Cléofile : l'homme qu'elle aimait et qui était le père de
son enfant a été tué par le père de son maître. Grâce au récit
épique, le schème naît et se durcit. L'absence d'amour
fait place à une véritable haine. C'est le mot qu'emploie
Pylade lorsqu'il résume la situation pour Oreste :

> Il l'aime. Mais enfin cette veuve inhumaine
> N'a payé jusqu'ici son amour que de haine,
> Et chaque jour encore on lui voit tout tenter
> Pour fléchir sa captive ou pour l'épouvanter[2].

Pyrrhus en effet ne se contente pas de se lamenter selon la
tradition galante. Il séquestre Astyanax et fait de cet enfant
un moyen de chantage. Il menace de revenir, et revient parfois, à Hermione. En Pyrrhus comme en Oreste, l'amour
déçu est actif : Oreste aussi punissait les « mépris » d'Hermione « en l'oubliant » et prenait ses transports « pour des
transports de haine »[3]. Les deux hommes se ressemblent sur
ce point. Mais Oreste est sans pouvoir. Pyrrhus connaît
l'amertume sans espoir du pouvoir impuissant, d'une part
parce que la femme qu'il aime est redoutable et attachée
par toutes ses fibres à une civilisation ennemie et à un passé
dont la disparition est impardonnable, et d'autre part parce
que, loin d'être esclave de son amour, il va fort loin pour
tenter de s'en libérer et découvre ainsi de nouvelles perspectives dramatiques.

2. Vers 109-112.
3. Vers 49-56.

Le procédé si efficace est repris dans *Britannicus*, où il se complique encore. Il est clair que Néron a tout pouvoir sur Junie, qu'il l'aime (si l'on peut employer, pour simplifier, ce mot traditionnel) et qu'elle ne l'aime pas. Mais en un autre sens, Agrippine a du pouvoir sur son fils ; c'est même le caractère oppressant de ce pouvoir qui détermine en partie l'action de la tragédie ; Agrippine aime Néron ; et Néron n'aime pas sa mère. Une deuxième figure du pouvoir impuissant apparaît donc ; le fait qu'il ne s'y agisse pas d'un amour conduisant au mariage ne modifie en rien la portée dramatique et tragique des rapports affectifs. Une troisième figure du même schème est suspendue à Britannicus : grâce au parti politique dont il est le chef par la force des choses, il exerce une pression sur Agrippine ; il aime Agrippine, qui n'a cessé de le protéger et qui favorise son amour pour Junie ; mais Agrippine ne peut pas l'aimer jusqu'au bout d'une certaine logique politique et au moment décisif elle choisira toujours Néron. Ce pouvoir de Britannicus est bien analysé par Narcisse ; après l'empoisonnement du prince, le gouverneur s'adresse ainsi à Agrippine :

> Britannicus, madame, eut des desseins secrets
> Qui vous auraient coûté de plus justes regrets.
> Il aspirait plus loin qu'à l'hymen de Junie.
> De vos propres bontés il vous aurait punie.
> Il vous trompait vous-même, et son cœur offensé
> Prétendait tôt ou tard rappeler le passé[4].

Narcisse a beau être odieux, le danger politique qu'il décrit ici est parfaitement réel. Il l'est si bien qu'Agrippine pâlit lorsqu'au troisième acte s'ébauche la possibilité d'un complot des chefs de la noblesse contre Néron. Britannicus lui dit alors :

> Madame, je vois bien que ce discours vous blesse
> Et que votre courroux, tremblant, irrésolu,
> Craint déjà d'obtenir tout ce qu'il a voulu[5].

4. Vers 1661-1666.
5. Vers 908-910.

Agrippine est dans la situation qui sera celle d'Atalide. Le cercle est désormais complet, et chacun des trois personnages qui, avec des valeurs différentes, possèdent du pouvoir, Néron, Agrippine et Britannicus, peut se poser la question qui est celle de Britannicus quittant Agrippine :

> Dois-je sur sa foi
> La prendre pour arbitre entre son fils et moi ?[6].

Chaque personnage est devenu arbitre entre les deux autres, et la structure circulaire du schème ajoute encore à son caractère inextricable.

Les choses sont plus simples, et plus brutales, dans *Bajazet*. Amurat a tout pouvoir sur Roxane ; il l'aime, elle ne l'aime pas. Mais il est loin, et il a délégué son pouvoir. Le schème joue une seconde fois entre des mains féminines : Roxane a tout pouvoir sur Bajazet ; elle l'aime, il ne l'aime pas. Mais elle ose ce qu'Agrippine n'osait pas. Dans *Mithridate*, le schème du pouvoir impuissant est appliqué trois fois, et toujours à Mithridate lui-même. Le pouvoir absolu de celui-ci sur Monime, sur Xipharès et même sur Pharnace est assez clair. Mithridate aime Monime et, avec bien des nuances, il aime ses fils. Monime ne l'aime pas. Pharnace ne l'aime guère. Xipharès, du seul fait qu'il aime Monime, ne peut plus être dans une situation d'obéissance absolue vis-à-vis de son père.

Dans les tragédies suivantes, la recherche du schème du pouvoir impuissant est peut-être plus subtile. Il ne concerne dans *Iphigénie* ni Agamemnon ni Achille ni Clytemnestre. Par contre, Iphigénie est en position de l'utiliser pour Eriphile. Par son influence sur son père et son fiancé, elle est maîtresse du sort d'Eriphile, dont elle obtient effectivement la libération au troisième acte. Elle aime Eriphile ; mais Eriphile, contrairement à ce qu'elle croit, ne l'aime pas. Dans *Esther*, Assuérus dispose d'un pouvoir absolu, et il aime Esther. Esther aime-t-elle son mari ? La scène 4

6. Vers 305-306.

du premier acte apporte de sérieuses raisons d'en douter. Quand elle s'adresse à son « souverain roi »[7], elle désigne par là le Dieu des Juifs et non Assuérus, et l'expression correspond à sa pensée : sa religion est son seul amour. Les Persans, dont Assuérus est roi, sont pour elle des « peuples farouches », des « infidèles » ; leurs fêtes sont « criminelles », leurs festins sont des « profanations »[8] (or elle assistera à un tel festin au troisième acte) ; quand elle est seule, elle foule à ses pieds son bandeau royal[9]. Son mari n'est pour elle que « redoutable »[10] ; effectivement, quand elle se trouvera devant lui, elle s'évanouira de peur. Le schème s'affirme plus clairement dans *Athalie* où la vieille reine, qui dispose du pouvoir, éprouve une attirance certaine pour Joas dont elle ignore l'identité, alors que Joas ne l'aime nullement.

Le schème du pouvoir impuissant pose aux personnages des questions difficiles, auxquelles, au début de chaque tragédie, ils ne savent pas répondre. Pourtant, les dénouements apportent nécessairement des réponses, qui doivent être prises en compte pour qu'apparaisse la véritable signification du schème. Pyrrhus épouse Andromaque, et il est le seul à conclure ce type d'intrigue par un mariage. Toutefois cette solution, d'origine galante, ne termine pas la tragédie et Pyrrhus est aussitôt tué par Oreste sur l'ordre d'Hermione, ces deux personnages n'étant reliés au schème que de façon très indirecte. Britannicus est tué. Il figure dans la structure circulaire comme origine d'un pouvoir et non comme victime. Des trois personnages ayant du pouvoir, il est le seul à l'exercer sans que personne ait du pouvoir sur lui, tout au moins dans le schème du pouvoir impuissant. Pour lui comme pour Pyrrhus, la puissance se retourne tragiquement contre celui qui la possède. *Bajazet* apporte au problème deux solutions originales, l'une seulement suggérée,

7. Vers 247.
8. Vers 269-276.
9. Vers 277-280.
10. Vers 286.

l'autre mise en action. Roxane voudrait que Bajazet l'aime ;
ce qui l'en empêche, c'est qu'il aime Atalide ; Roxane ne
peut tuer Atalide sans devenir odieuse aux yeux de Bajazet.
Pour sortir de cette situation inextricable, Atalide fait
cette proposition à Roxane :

> Les nœuds que j'ai rompus
> Se rejoindront bientôt quand je ne serai plus.
> Quelque peine pourtant qui soit due à mon crime,
> N'ordonnez pas vous-même une mort légitime
> Et ne vous montrez point à son cœur éperdu
> Couverte de mon sang par vos mains répandu :
> D'un cœur trop tendre encore épargnez la faiblesse.
> Vous pouvez de mon sort me laisser la maîtresse,
> Madame : mon trépas n'en sera pas moins prompt[11].

Cette offre de suicide n'est pas acceptée, et ne l'est jamais
dans la tragédie racinienne. Roxane préfère avoir l'affreux
courage de faire elle-même tuer Bajazet. Semblablement,
Amurat fait tuer Roxane par Orcan. Mithridate a le pouvoir de faire tuer les trois autres personnages. Il envisage
parfois de faire tuer Xipharès et Monime, il fait emprisonner
Pharnace, ce qui est un substitut de la mort, mais il ne tue
finalement que lui-même. Iphigénie, après avoir failli être
punie de son affection pour Ériphile par la mort, n'est
sauvée que par un miracle ; mais la solution normale du
schème, pour elle comme pour la plupart des autres personnages raciniens, est que celui qui n'a pas su se servir de
son pouvoir doit mourir. *Esther* épargne la mort à Assuérus
et à son épouse ; pourtant le fait qu'à la fin le roi soit amené
à autoriser et même à honorer[12] la religion juive qu'il avait
jusque-là persécutée peut être interprété comme une forme
atténuée de la mort. A cause de sa faiblesse ou de sa volte-
face, les Juifs vont constituer cette sorte d'Etat dans l'Etat
que peint *Athalie*. Cette dernière tragédie est ainsi la suite
d'*Esther*, non point dans l'histoire réelle, mais dans l'ima-

11. Vers 1607-1615.
12. Vers 1184 : à l'égal des Persans je veux qu'on les honore.

ginaire racinien, et la puissante Athalie y meurt à son tour.

On constate donc que sur les sept tragédies considérées, une seule, *Bajazet*, se termine par la mort des personnages soumis au pouvoir impuissant, peut-être à cause de la « férocité » de la « nation » turque, signalée dans la Préface. Les six autres se concluent par la mort, ou l'élimination sous une forme plus ou moins atténuée, du personnage qui dispose de ce pouvoir. Le maniement de celui-ci apparaît donc comme extrêmement dangereux. Non seulement ce pouvoir, constitué comme il l'est, est pratiquement inutilisable, mais, par une sorte d'effet de boomerang, il se retourne contre son détenteur. Bien que la tragédie soit injuste par définition, on peut se demander de quoi le maître du pouvoir impuissant est puni avec une pareille constance. La réponse dramatique est sans doute qu'il n'a pas exercé son pouvoir assez rapidement. Dans cette lutte pour la vie, soumise à la seule loi de la jungle, qu'est le drame, il faudrait tirer le premier. Mais, et c'est là qu'intervient le tragique, l'amour ou le sens moral s'interposent, les quelques heures permises à la tragédie classique s'écoulent implacablement et la situation se retourne.

Reste à dire que les deux plus exigeantes tragédies de Racine échappent à cette analyse : *Bérénice* et *Phèdre* sont le degré zéro du schème du pouvoir impuissant. Leur structure n'en permettait pas l'emploi, et la plus haute ambition tragique a mené leur auteur au-delà ou au-dessus de l'instrument qu'il avait pourtant maîtrisé.

B / LA SCÈNE ONIRIQUE

Racine n'emploie jamais le procédé du songe dans ses tragédies profanes. Mais il utilise l'étrangeté contraignante et significative du rêve, non point pour éclairer l'avenir par quelque obscure prémonition, mais pour proposer du passé, voire du présent, une présentation fantasmatique qui, par les voies obliques de la poésie, suggère des aspects de la réalité que le déroulement des raisons et des motivations ne suffit pas à amener jusqu'à l'expression. Le tragique qui ne peut pas se dire se dit par la scène onirique. Tout se passe comme si certains spectacles, contemplés par les personnages dans un état de demi-conscience, étaient perçus par eux comme des messages imaginaires, transmis par la rêverie plutôt que par le rêve. Les personnages sont incapables de déchiffrer le sens de ces messages, mais une lecture poétique du théâtre racinien peut et doit en tenir compte, et en dégager la signification tragique.

Que la scène soit située dans un passé plus ou moins ancien ou dans le présent de la représentation, qu'elle soit entièrement imaginée ou bien qu'elle consiste en une contemplation rêveuse d'un donné parfaitement réel, son caractère onirique résulte de sa constance, de son étrangeté et de ses possibilités d'interprétation par des voies non rationnelles. Il est possible d'esquisser, à partir d'images que reprend Racine avec prédilection, une sorte de nouvelle « Traumdeutung ». Le fait même que des éléments de rêverie se retrouvent identiques dans plusieurs tragédies confère à leur ensemble une valeur cérémonielle, et celle-ci à son tour est rendue indispensable par le fait que les images des personnages qui sont proposées comportent des éléments contradictoires.

Le cadre général est souvent la nuit, mais une nuit trouée de lumières ponctuelles, qui paraissent éblouissantes par le contraste avec l'obscurité qui les entoure. Fixée sur ces points lumineux, l'attention est en situation de dériver vers l'hypnose, voire vers l'hallucination. Telle est l'image qui se présente à Andromaque lorsqu'elle évoque la chute de Troie. C'est sur la nuit, et sur son rapport explicite avec la mort, qu'elle insiste d'abord :

> Songe, songe, Céphise, à cette nuit cruelle
> Qui fut pour tout un peuple une nuit éternelle[13].

13. Vers 997-998.

Cette nuit n'est pourtant qu'en apparence le domaine de la mort, car elle est doublement éclairée :

> Figure-toi Pyrrhus, les yeux étincelants,
> Entrant à la lueur de nos palais brûlants...[14].

Les palais brûlants, à la fois source de lumière et objets du spectacle, s'expliquent d'eux-mêmes. Mais Racine leur a ajouté les yeux de Pyrrhus, brillants, lumineux eux-mêmes, étoiles nouvelles dans le paysage. L'exaltation du combat peut en rendre compte. Toutefois, si l'on réfléchit que cette vision onirique se situe dans le cadre du débat, timidement introduit par Céphise, sur la possibilité qu'Andromaque accepte d'épouser Pyrrhus, un sens nouveau peut apparaître. Cet homme aux yeux « étincelants » est « l'époux »[15] que propose la confidente. Les yeux sont par là constitués en symbole sexuel, tout au moins dans le cadre de ce passage, et comme en même temps toute une part d'Andromaque refuse avec horreur de donner Pyrrhus comme « successeur »[16] à Hector, l'évocation de cette possibilité entraîne un sentiment de culpabilité, que traduisent au reste couramment les yeux dans le langage de la rêverie.

En dépit des différences évidentes dans les situations, la première rencontre de Néron avec Junie se situe dans un cadre analogue. C'est la nuit, ce qui n'était en rien nécessaire. Et cette nuit est éclairée par les « flambeaux » des soldats, mentionnés deux fois en quelques vers[17]. L'opposition entre leur clarté et l'obscurité de la nuit est relayée par d'autres oppositions, bruit et silence, rudesse militaire et douceur de la jeune fille :

> Je ne sais si cette négligence,
> Les ombres, les flambeaux, les cris et le silence,
> Et le farouche aspect de ses fiers ravisseurs
> Relevaient de ses yeux les timides douceurs...[18].

14. Vers 999-1000.
15. Vers 999 et 1008.
16. Vers 984.
17. Vers 388 et 392.
18. Vers 391-394.

Les yeux de Junie ne sont peut-être ici qu'une façon traditionnelle d'indiquer sa beauté. Mais quelques vers plus haut, ils avaient une fonction beaucoup plus précise, la même que pour Pyrrhus : ils étaient des lumières. La jeune fille était

> Triste, levant au ciel ses yeux mouillés de larmes,
> Qui brillaient au travers des flambeaux et des armes...[19].

Rendus brillants par les larmes, ces yeux éclairants s'ajoutent à la lueur des flambeaux et aux reflets qu'ils provoquent sur les armes des soldats. Ils sont évidemment le signe et le point d'ancrage du désir de Néron. Désigné par ces yeux, ce désir est présenté comme coupable, non point pour Néron lui-même, mais pour le spectateur qui entend cette description. Un peu plus loin, Narcisse, tentant de rassurer Néron, tâchera, toujours avec les mêmes instruments imaginaires, d'inverser la scène et de présenter un Néron « brillant » contemplé amoureusement par Junie. Il évoque

> ses yeux dessillés
> Regardant de plus près l'éclat dont vous brillez...[20].

Une troisième version de la même scène onirique est proposée par *Bérénice*. C'est toujours la nuit :

> De cette nuit, Phénice, as-tu vu la splendeur ?[21].

Et cette nuit est trouée de lumières, évoquées trois fois dans le même vers :

> Ces flambeaux, ce bûcher, cette nuit enflammée...[22].

Au centre de toutes ces lumières, l'imagination amoureuse de Bérénice place naturellement Titus : c'est de lui que les nombreux personnages de la scène « empruntaient leur

---

19. Vers 387-388.
20. Vers 449-450.
21. Vers 301.
22. Vers 303.

éclat »[23]. Les yeux ne manquent pas au tableau, et Titus, centre des lumières, est aussi centre des regards :

> Tous ces yeux qu'on voyait venir de toutes parts
> Confondre sur lui seul leurs avides regards...[24].

L'amour dont cette nuit trouée de lumières et d'yeux est devenue l'image n'est certes pas considéré comme coupable par Bérénice, mais pour le spectateur il est du moins menacé : la réplique immédiatement précédente de Phénice rappelait avec énergie l'opposition des lois romaines au mariage avec une reine. Ce qui est pour Bérénice un spectacle de bonheur est pour Phénice bonheur illusoire, voire sinistre présage, malheur caché derrière l'allégresse générale ; par là se manifeste l'ambivalence du rêve.

Cette scène onirique reparaît encore, avec des modifications, jusque dans le songe d'*Athalie*. Pour rêver, il faut dormir, et on dort en général la nuit. Il n'était donc pas indispensable de souligner avec tant de force le poids de la situation nocturne :

> C'était pendant l'horreur d'une profonde nuit[25].

« Horreur », « profonde », deux mots qui, à défaut des yeux absents, disent la culpabilité, non de la nuit, mais d'Athalie. Les points de lumière sont moins évidents, mais on peut les imaginer derrière certains détails. Jézabel est « pompeusement parée »[26] ; s'agit-il de bijoux, qui brillent dans l'ombre comme des yeux ? L'enfant inconnu est « couvert d'une robe éclatante »[27], qui accroche la lumière. Il brandit « un homicide acier »[28], propice, lui aussi, aux reflets...

Ainsi, ces quatre scènes sont oniriques parce que c'est seulement sur le plan et avec les instruments du rêve qu'elles peuvent assembler les contradictions dont elles sont faites :

23. Vers 306.
24. Vers 309-310.
25. Vers 490.
26. Vers 492.
27. Vers 508.
28. Vers 513.

Pyrrhus est haï, mais envisagé comme époux futur ; Junie pleure, mais (ou donc) est désirable ; Bérénice est heureuse, mais son bonheur est fragile ; Athalie, brave le jour, a peur la nuit. Par suite, la nuit trouée de lumières, de reflets et de désirs signifie dans ces quatre tragédies la mort ou le désespoir, la culpabilité ou du moins la mauvaise conscience que les âmes superstitieuses peuvent durcir en mauvais présage. Ce que disent ces spectacles étrangement semblables, c'est qu'Andromaque est révulsée à l'idée d'épouser Pyrrhus, que Néron n'épousera pas Junie ni Bérénice Titus, qu'Athalie sera tuée par le moyen de Joas. Un tragique rationalisé comme il l'est au XVIIe siècle ne peut descendre à ces prédictions. Il peut les laisser entendre par un langage poétique.

Plus généralement, la scène onirique, même lorsqu'elle ne reproduit pas cette structure obsessionnelle, a pour fonction, dans l'imaginaire, de nier la situation réelle, trop contraire aux pulsions profondes du personnage. Si Andromaque évoque la dernière nuit de Troie, c'est pour lutter contre l'image insoutenable de Pyrrhus remplaçant Hector, à quoi néanmoins le dénouement accordera une réalisation, au moins partielle et brève. Si Oreste, dans son délire, voit Hermione embrasser Pyrrhus[29], c'est bien que la menace de cette réconciliation était un élément permanent et décisif de son problème. Les antagonismes de *Britannicus* sont souvent évoqués par des images oniriques, en ce sens, non qu'elles ne correspondent pas à des situations réelles, mais que, comme des cauchemars, elles ont douloureusement frappé les personnages qui les évoquent amèrement, à moins que, par aveuglement, ils ne se fient à de trompeurs accords. Agrippine proclame :

Ce jour, ce triste jour, frappe encor ma mémoire...

Il s'agit de la scène, longuement relatée[30], où Néron, par un respect feint, a écarté sa mère du trône où elle allait

29. Vers 1633.
30. Vers 99-110.

recevoir les ambassadeurs étrangers. De là date en effet une opposition politique devenue implacable. Avec une complaisance moins morbide, mais dont le caractère chimérique est évident, Agrippine s'imagine présentant Britannicus à l'armée pour mettre en péril le pouvoir de Néron[31] : politiquement absurde, parce que suicidaire, la scène se situe, non dans le passé, mais dans un irréel qui n'a aucune chance de se réaliser. Néron à son tour est le point de départ de fantasmes du même genre, toujours liés aux exigences de l'action. Junie l'imagine lui reprochant son amour pour Britannicus[32], au moment même où, sur l'ordre de l'empereur caché, elle s'efforce de désespérer le jeune homme : Néron joue ici pour Junie le rôle d'une voix de l'inconscient. Agrippine trace, en huit vers[33], un portrait, flatté jusqu'au stéréotype, de Néron comme fils affectueux, qu'équilibrera bientôt le tableau, que réalisera l'avenir mais qui reste onirique dans le temps de la tragédie, de Néron tuant sa mère[34]. La fable progresse de mythe en mythe. La fonction de ces cinq images de rêve apparaît si on les réduit à leurs éléments essentiels : Agrippine perd sa puissance politique ; elle en veut à Néron ; Junie est terrorisée ; Néron, naguère bon fils, tuera sa mère. Les scènes oniriques résument la tragédie en la scandant.

De même, la scène où Phèdre se décrit descendant au labyrinthe avec un Thésée qui est Hippolyte[35], possède, à côté de son caractère onirique évident, une fonction et un sens. La reine voudrait qu'Hippolyte soit son mari et qu'il l'aime. Comme la réalité lui refuse cette double satisfaction, elle crée, par une série de glissements imaginaires où Hippolyte remplace Thésée et où elle-même remplace Ariane, une fable lui procurant exactement la situation qu'elle désire.

---

31. Vers 839-848.
32. Vers 1011-1012.
33. Vers 1587-1594.
34. Vers 1674-1682.
35. Vers 634-662.

La scène onirique est enfin parfois marquée par une étrange paralysie sensorielle. Dans un type de théâtre où le langage est roi, l'effacement de la parole dénonce le trouble le plus significatif. L'évocation de scènes muettes, où un personnage est dans l'incapacité, soit de parler, soit d'entendre, signifiera donc une erreur fondamentale. Néron, habituellement disert, ne peut rien dire à Junie la nuit de son arrestation :

> J'ai voulu lui parler, et ma voix s'est perdue.
> Immobile, saisi d'un long étonnement,
> Je l'ai laissé passer dans son appartement[36].

L'immobilité comme le silence sont l'indice de l'impossibilité d'un rapport réel entre Néron et Junie. Une fois seul, il lui parle, mais toujours en imagination :

> Trop présente à mes yeux, je croyais lui parler.
> J'aimais jusqu'à ses pleurs que je faisais couler.
> Quelquefois, mais trop tard, je lui demandais grâce.
> J'employais les soupirs et même la menace[37].

Dialogue imaginaire et, par là, accusateur, où l'onirique devient distance infranchissable.

Bajazet offre une autre scène muette, plus étonnante encore, dont le héros est Acomat. Croyant à la rupture entre Roxane et Bajazet, il allait s'enfuir, « désespéré »[38]. On le rappelle au palais, il y revient comme en rêve : « J'ai couru, j'ai volé »[39]. Avec cette rapidité contraste l'immobilisme du long moment qui suit. On le conduit « sans bruit »[40], toujours en un glissement de rêve, à l'endroit où Roxane et Bajazet, croit-il, vont se réconcilier. Mais de cette négociation décisive, Acomat n'entend rien : il est placé trop

36. Vers 396-398.
37. Vers 401-404.
38. Vers 871.
39. Vers 876.
40. Vers 879.

loin, n'ose pas approcher, et la scène est muette pour lui
comme pour les autres spectateurs :

> Tout gardait devant eux un auguste silence.
> Moi-même, résistant à mon impatience
> Et respectant de loin leur secret entretien,
> J'ai longtemps, immobile, observé leur maintien[41].

Il ne peut qu'interpréter ce maintien, leurs « yeux »[42], leurs
« regards »[43]. Il conclut à leur amour réciproque, et naturellement il se trompe. Après cette scène équivoque, il repart
aussi subitement qu'il était venu :

> Et soudain à leurs yeux je me suis dérobé[44].

Avec la même hâte inhabituelle, il prend congé d'Atalide,
à qui il n'a fait ce récit qu' « en passant »[45]. L'atmosphère
de rêve n'a pas seulement ici une fonction esthétique, d'une
remarquable modernité pour l'époque de Racine. Elle sert
aussi, et surtout, à tromper. Par le rêve, le spectateur
comprend qu'Acomat se trompe et induit Atalide en erreur.
Quel fonds en effet peut-on faire sur un rythme aussi
étrange et sur d'aussi graves lacunes sensorielles ? La scène
onirique se dénonce par sa tragique fragilité.

Dans ces deux tragédies, le silence est signe d'erreur,
sinon de tromperie. Ce n'est là que l'objectivation et la
généralisation de la situation plus banale où un personnage
embarrassé trouve plus prudent de rester silencieux. Dans
Andromaque, Hermione disait à Pyrrhus : « Vous ne répondez
point ! »[46]. Ici, on peut accepter de dire que c'est le destin
qui ne répond pas. Il manifeste ses intentions par des
silences éloquents.

41. Vers 881-884.
42. Vers 885.
43. Vers 887.
44. Vers 896.
45. Vers 898.
46. Vers 1375.

C / LA PAROLE COUPABLE

La tragédie est le genre où le raffinement de la parole atteint au XVIIᵉ siècle son plus haut sommet. Le but recherché n'y est pas seulement la perfection esthétique. Le fait même de parler y acquiert une importance, un poids, une gravité qui permettent, précisément parce qu'il s'agit de théâtre, une circulation des émotions et des informations entre les personnages. Cette valeur est encore magnifiée et sacralisée dans la tragédie religieuse. Le dialogue humain s'entrouvre dans *Athalie* pour faire place à une prophétie qui est la parole même de Dieu. L' « Esprit divin » s'empare de Joad et le force à parler ; par la bouche du grand-prêtre, c'est Dieu qui trace obscurément une image de l'avenir ; Joad ne dit pas « je parle », mais « il parle »[47]. Telle est également la fonction des songes, images figurées et prémonitoires de l'écriture divine. *Esther* et *Athalie* sont les seules tragédies de Racine à utiliser le procédé, banal avant lui dans la tragédie profane.

A l'autre extrémité du registre racinien, les *Plaideurs* apportent de l'importance de la parole une confirmation par la dérision. Plaider c'est parler, et les plaideurs sont à la fois des fous qui plaident et des gens qui sont fous de plaider, parce qu'ils sacrifient leur tranquillité, leur fortune et même leur raison à un usage conventionnel et stérile de la parole. Par là, sur le plan du comique, leur parole est déjà coupable. Ils emploient le jargon de la « chicane », que Racine, dans la Préface, se défend de connaître, pour désigner, par une réduction dérisoire, les choses les plus simples. Ils disent par exemple : « Présente ta requête », « comparaître », « élargir », « hors de cour », « Obtenez un arrêt », « par provision », « vacations », « nantissement »[48], et ces termes inutilement pédants sont immédiatement compris

---

47. Vers 1130-1131.
48. Vers 56, 63 à 65, 115 à 117, 616-617.

du spectateur. Les contorsions auxquelles les personnages se livrent ne les projettent pas seulement dans l'espace. Elles sont aussi de nature verbale. Chicanneau et la Comtesse, bientôt rejoints par l'Intimé, parlent en chœur. Les deux plaideurs disent ensemble :

> Vous voyez devant vous mon adverse partie.

Ils sont trois pour dire :

> Monsieur, je viens ici pour un petit exploit[49].

Le Souffleur, suscité par l'ignorance de Petit-Jean[50], souffle de travers[51]. L'Intimé fait étalage de ses divers tons, mais parle trop vite ou trop lentement[52]. C'est ici la parodie de la messe du langage.

Le contenu de la parole tragique est souvent l'amour. Antiochus avoue son amour à Bérénice, Xipharès à Monime, Phèdre à Hippolyte. Moins engagée dans la péripétie tragique, Eriphile confesse sa passion pour Achille, mais non à Achille. Mais l'amour n'est que rarement innocent et les tragédies de Racine sont généralement construites de façon que l'évidence de l'amour soit pour autrui une blessure. L'amour de Pyrrhus pour Andromaque torture Hermione. Néron ne supporte pas l'intimité entre Britannicus et Junie. L'amour de Bajazet et d'Atalide, quand il est enfin révélé, révolte Roxane. L'amour qui lie Hippolyte et Aricie n'est acceptable ni pour Thésée ni pour Phèdre. L'autre sujet constant de la parole tragique est la mort, parfois remplacée par une constellation affective tout aussi insupportable. Il n'est certes pas facile de dire à une mère, comme Andromaque, qu'on va tuer son fils, ou à une autre, Clytemnestre, qu'on va sacrifier sa fille, de dire à une fiancée, qui s'appelle Hermione ou Bérénice, qu'on la renvoie, de montrer son indifférence à une sultane amoureuse ou sa passion déchaînée

---

49. Vers 531, 533.
50. Vers 638.
51. Vers 699-703.
52. Acte III, scène III.

à un beau-fils respectueux mais étonné. Toutes ces situations
sont pénibles parce qu'elles obligent à enfreindre des règles
morales : on ne devrait ni tuer ni mentir ni violer la parole
donnée ni faire souffrir. C'est pourtant ce que les personnages tragiques font constamment. Le dire, si la parole a
une valeur en soi, ajoute à l'horreur de leurs actes. Les
démarches des héros de Racine sont souvent blessantes, mais
elles le sont inégalement. Presque toutes les répliques d'*Andromaque* sont des armes, et elles cherchent à faire autant
de mal que possible. Par contre, le discours de *Bérénice* est
certes difficile, Titus a besoin de cinq actes pour le faire
accepter par Bérénice, mais il n'est ni dangereux pour celui
qui le prononce ni cruel au-delà de ce qu'exige la situation.
Le danger de mort et la douleur de l'amour qui craint de
s'exprimer marquent les scènes où Néron oblige Junie à
désespérer Britannicus et où Mithridate force Monime à
révéler son amour pour Xipharès. Ce sont de véritables
traquenards linguistiques. La parole n'est pas que la parole.
Elle peut avoir pour conséquence des faits redoutables.
Ainsi Monime se désolera de ce que, trop facile à se laisser
tromper, elle ait marqué à Mithridate le cœur de Xipharès
« où sa main doit frapper »[53].

Revêtue d'un tel poids, la parole est pour le personnage
un fardeau difficile à manier. Le héros sera peut-être moins
jugé par des considérations morales que par la manière dont
il aura fait face au dangereux devoir de parler. Trésor trompeur, le langage ouvre la porte au bon ou au mauvais destin.
Se servir mal d'un dépôt si précieux est un crime. On s'en
rend coupable soit par sa propre faiblesse (ainsi Titus
qui, devant Bérénice, ne peut ni parler ni se taire), soit
parce que la parole recèle en elle-même des germes de culpabilité dont l'imprudent locuteur n'est pas conscient. En
effet, si la parole est un acte, elle est aussi une cérémonie.
Elle a ses lois propres, qui ne sont pas seulement celles de
la politesse. L'une de ces lois, contradictoire afin de créer

53. Vers 1145-1146.

l'angoisse, peut être observée dans *Phèdre*. Hippolyte la formule en disant à Aricie :

> Puisque j'ai commencé de rompre le silence,
> Madame, il faut poursuivre...[54].

Mais l'entraînement verbal, auquel cèdent tous les personnages, a les conséquences les plus tragiques. *Phèdre* est précisément la pièce dans laquelle rien n'arrive que parce que les personnages ont parlé. Faut-il renverser la maxime et prôner l'interruption ? Non, car le malheur de Thésée vient au contraire de ce que ceux qui commencent à lui parler ne continuent pas :

> Quelle est donc sa pensée et que cache un discours
> Commencé tant de fois, interrompu toujours ?[55].

Un autre trait constant de la tragédie classique atteste cette sorte de fétichisme de la parole. C'est la confiance accordée à tous les on-dit. Les bruits les moins fondés sont tenus pour vrais, sans la moindre preuve, jusqu'à ce que l'expérience les démente. Parfois même, on sait que la rumeur qui circule est pure invention. Ainsi Acomat a, sinon créé, du moins confirmé une telle rumeur :

> D'ailleurs un bruit confus, par mes soins confirmé,
> Fait croire heureusement à ce peuple alarmé
> Qu'Amurat le dédaigne et veut loin de Byzance
> Transporter désormais son trône et sa présence[56].

La mort de Thésée, qui passe pour vraie pendant près de deux actes, n'est qu'un bruit de ce genre, apporté « par des vaisseaux arrivés dans le port »[57]. Sur les circonstances de cette mort, les versions diffèrent. Celle d'une descente aux enfers est présentée avec le plus d'insistance. Une

---

54. Vers 526-527.
55. Vers 1451-1452.
56. Vers 243-246.
57. Vers 323.

autre montre la liberté de l'imagination poétique dans ce domaine :

> On dit que, ravisseur d'une amante nouvelle,
> Les flots ont englouti cet époux infidèle[58].

Elle est en contradiction avec l'affirmation antérieure d'Hippolyte :

> Phèdre depuis longtemps ne craint plus de rivale...[59]

Mais Hippolyte pouvait se tromper, et l'image d'un Thésée volage, que reprendra Phèdre[60], enrichit le portrait du roi, en même temps que la version de sa noyade souligne l'ambivalence de sa relation avec Neptune. Quoi qu'il en soit, dans le cours du dialogue, les bruits de ce genre semblent participer à l'évidence de la réalité et ne sont jamais contestés ; tout bruit est cru. Dès lors, la relation entre parole et vérité est rompue et le discours, loin de vous exprimer, vous trompe.

Bajazet est peut-être la tragédie de Racine qui apporte les témoignages les plus étonnants sur la puissance de la parole, tout en les soumettant à d'étranges dissociations. Les servitudes du sérail expliquent sans doute cette hardiesse. Elles sont telles qu'Acomat, au début, n'a pas osé montrer Bajazet à Roxane. Mais la parole a remplacé le contact direct : Acomat *parle* de Bajazet (« je lui vantai ses charmes ») et cela suffit pour que la « sultane éperdue » devienne follement amoureuse du prince, sans l'avoir jamais vu[61]. Si l'on ne peut rien voir dans le sérail, toute la réalité est concentrée dans la parole. Celle-ci remporte une deuxième victoire par le moyen d'un on-dit qui, selon l'usage, passe pour vrai. Un « récit peu fidèle »[62] fait croire à la mort d'Amurat et permet, en relâchant la discipline du sérail,

58. Vers 381-382.
59. Vers 26.
60. Vers 636-637.
61. Vers 138-142.
62. Vers 145.

que Roxane et Bajazet se rencontrent. Pourtant, la même liberté n'est pas donnée immédiatement aux rencontres de Roxane avec Acomat. Le visir précise :

> Invisible d'abord elle entendait ma voix
> Et craignait du sérail les rigoureuses lois[63].

L'insistance de Racine sur ce point et la façon curieuse dont il a présenté dans *Bajazet* des scènes où l'on entend sans voir et d'autres où l'on voit sans entendre le montrent sensible à ce qu'on appellera plus tard la distanciation, dont un exemple démonstratif a été donné par Diderot racontant dans sa *Lettre sur les sourds et muets* comment il se bouchait les oreilles au théâtre... Une autre discordance est significative en ce qu'elle est un des éléments principaux de l'action : la parole sur Bajazet et la parole de Bajazet ne coïncident pas,

> L'ingrat ne parle pas comme on le fait parler[64].

C'est pourquoi Roxane veut tant que Bajazet s'explique lui-même, sans passer par l'intermédiaire d'Atalide, à qui elle dit :

> Vous parlez mieux pour lui qu'il ne parle lui-même[65].

Mais Bajazet, submergé par l'émotion et par la conscience du danger, ne peut pas parler. Roxane lui dit en vain : « Achève, parle. » Il répond : « O ciel ! que ne puis-je parler ! »[66]. Cette affirmation de l'impossibilité de parler est interprétée par Roxane comme un refus volontaire de parler, et elle s'en offense.

Au IIIᵉ acte, les jeux sur la parole font place aux jeux de regards, et les scènes importantes deviennent muettes, avec toutes les possibilités de méprises qu'elles comportent.

---

63. Vers 203-204.
64. Vers 276.
65. Vers 1058.
66. Vers 560.

Zaïre a vu de loin l'entrevue d'Acomat avec une esclave de Roxane, et en a conclu que tout allait bien :

> Ils ne m'ont point parlé, mais, mieux qu'aucun langage,
> Le transport du visir marquait sur son visage
> Qu'un heureux changement le rappelle au palais[67].

Les mots sont supplantés par la vue, par des impressions, par un *je ne sais quoi*. Acomat aussi a assisté à une scène muette. On l'a conduit « sans bruit »[68] au lieu de l'entretien entre Roxane et Bajazet :

> Tout gardait devant eux un auguste silence.
> Moi-même, résistant à mon impatience,
> Et respectant de loin leur secret entretien,
> J'ai longtemps immobile observé leur maintien[69].

Il n'a pas entendu un mot, mais il croit à la réconciliation. Et lorsque Bajazet a revu Roxane, c'est comme une troisième scène muette. Il n'a presque pas eu besoin de parler, elle a immédiatement interprété son retour comme une preuve d'amour :

> A peine ai-je parlé que, sans presque m'entendre,
> Ses pleurs précipités ont coupé mes discours...[70].

Roxane en effet, dans toute la fin de la tragédie, s'appuie sur tous les signifiants non verbaux. Elle scrute les visages, les attitudes, les situations. Elle dit par exemple d'Atalide :

> Mon malheur n'est-il pas écrit sur son visage ?
> Vois-je pas, au travers de son saisissement,
> Un cœur dans ses douleurs content de son amant ?[71].

Mais il lui faut aussi les mots : la preuve écrite que sera la lettre saisie sur Atalide et l'affirmation, jamais obtenue, de l'amour de Bajazet :

> Après tant de bontés, de soins, d'ardeurs extrêmes,
> Tu ne saurais jamais prononcer que tu m'aimes ![72].

67. Vers 797-799.
68. Vers 879.
69. Vers 881-884.
70. Vers 986-987.
71. Vers 1222-1224.
72. Vers 1305-1306.

Faute de ce mot, elle se défie, lors de sa dernière entrevue avec Bajazet, de tout langage et proclame justement :

Les moments sont trop chers pour les perdre en paroles[73].

Aux paroles vaines est substituée l'exigence d'un assassinat qu'elle n'obtient pas. Cette tragédie du langage oscille constamment entre les mots et les signes qui, supérieurs ou inférieurs aux mots, les nient, les complètent ou les dépassent. C'est pourquoi elle se clôt dignement par la main des muets. La mort de Bajazet pouvait avoir bien d'autres ministres. Mais il était d'une justice poétique que l'homme qui avait si longtemps refusé l'emploi normal de la parole fût exécuté par des hommes à qui était refusé l'usage de la parole.

Phèdre est également, par d'autres moyens, une tragédie du discours. Rien ne s'y passe que parce que Phèdre *dit* sa passion. Raymond Picard et Roland Barthes sont, pour une fois, d'accord sur ce point. Le premier écrit : « La vertu du langage veut que Phèdre en exprimant son amour se dicte à elle-même sa destinée : le *fatum* est ici fidèle à son étymologie. Par son aveu, Phèdre inscrit sa passion dans l'ordre de la réalité. L'aveu fait à Œnone est la première faute, et l'on peut s'étonner de ce qu'on ait jugé chrétienne une pièce où la confession, pratiquée cependant dans un esprit d'humilité, de remords et de contrition, apparaît si dangereuse »[74]. Et le second : « Dire ou ne pas dire ? Telle est la question. C'est ici l'être même de la parole qui est porté sur le théâtre : la plus profonde des tragédies raciniennes est aussi la plus formelle ; car l'enjeu tragique est ici beaucoup moins le sens de la parole que son apparition, beaucoup moins l'amour de Phèdre que son aveu. Ou plus exactement encore : la nomination du Mal l'épuise tout entier, le Mal est une tautologie, Phèdre est une tragédie

---

73. Vers 1470.
74. RACINE, *Œuvres complètes*, t. I, pp. 741-742.

nominaliste »[75]. Ce n'est pas seulement le personnage de
Phèdre, ce sont aussi tous ceux qui l'entourent qui postulent
la primauté ontologique de la parole. Aux yeux d'Œnone,
au début de la pièce, le principal tort de Phèdre n'est pas
de mourir, il est de ne pas vouloir lui dire pourquoi elle
meurt :

> En vain à l'observer jour et nuit je m'attache ;
> Elle meurt dans mes bras d'un mal qu'elle me cache[76].

Et plus précisément encore, s'adressant à Phèdre :

> Ah ! s'il vous faut rougir, rougissez d'un silence
> Qui de vos maux encore aigrit la violence[77].

Hippolyte, après avoir entendu l'aveu, implique que l'on
peut en limiter les conséquences en n'en parlant pas :

> Phèdre... Mais non, grands dieux ! qu'en un profond oubli
> Cet horrible secret demeure enseveli ![78]

Il a compris l'une des faces du jeu du langage. La parole
déclenche la réalité. Mais si l'on ne dit rien, il ne se passe
rien.

C'est pourquoi le maniement de la parole est si délicat.
Dans la situation de *Phèdre*, toute parole est coupable non
seulement par ce qu'elle révèle, mais par le simple fait
d'être profération, impudique mise au jour. Les trois scènes
où Phèdre dit son amour pour Hippolyte scandent la
totalité de la tragédie et en modifient à chaque fois les
perspectives. L'aveu à Œnone est le plus dur parce qu'il est
le premier ; il n'aurait point lieu sans l'insistance pressante
de la nourrice, qui joue ici un rôle d'accoucheuse spirituelle ;
il apporte au sentiment de Phèdre un supplément d'existence. Elle est plus hardie et plus lucide lors de l'aveu à
Hippolyte. En outre, la vertu de cette deuxième parole est

75. *Sur Racine*, p. 115.
76. Vers 145-146.
77. Vers 185-186.
78. Vers 719-720.

d'avoir ouvert un avenir bloqué, en engendrant une sorte d'espoir :

> J'ai déclaré ma honte aux yeux de mon vainqueur
> Et l'espoir malgré moi s'est glissé dans mon cœur[79].

Enfin l'aveu à Thésée est placé sous le signe de la mort : il n'y a plus d'avenir, il s'agit simplement d'une sorte de règlement de comptes moraux, pour éviter de laisser « gémir la vertu soupçonnée »[80]. La parole, qui a ouvert le drame, le conclut. Symétriquement, l'amour d'Hippolyte pour Aricie est proclamé trois fois, devant les mêmes instances. Il n'est d'abord que suggéré à des confidents : Théramène le comprend à demi-mot, et à Ismène il a même suffi du langage des « yeux »[81]. Ce début de socialisation du sentiment doit l'affermir, et Hippolyte s'ouvre ensuite à Aricie elle-même. L'accueil qu'il reçoit ne peut que l'encourager et le rendre plus ferme, s'il en était besoin, vis-à-vis de Phèdre. Le troisième aveu, fait à Thésée, a des conséquences plus graves encore, puisque l'information, transmise à Phèdre, détermine toute la conduite ultérieure de celle-ci. L'amour de Phèdre pour Hippolyte est coupable, puisque sa première affirmation a lieu du vivant de Thésée. L'amour d'Hippolyte pour Aricie est coupable autrement, mais par rapport au même Thésée, en ce qu'il transgresse la prohibition paternelle. La tragédie repose sur six aveux d'amour interdit.

Si parler est coupable, trouvera-t-on le salut dans le silence ? Nullement. Les amours ne cesseraient pas s'ils cessaient de s'exprimer ; ce serait seulement la tragédie qui se ralentirait. Et surtout, se taire est aussi criminel que parler, à partir de la situation nouvelle créée par Œnone. Elle a accusé Hippolyte devant Thésée, et tous se taisent. Le silence de Phèdre est un crime, lorsqu'elle ne détrompe pas son mari, d'abord à son retour, puis lorsqu'il lui apprend

79. Vers 767-768.
80. Vers 1634.
81. Vers 411 et 414.

qu'Hippolyte aime Aricie. Le silence d'Hippolyte est souligné à trois reprises par le texte. Il dit d'abord :

> Tant de coups imprévus m'accablent à la fois
> Qu'ils m'ôtent la parole et m'étouffent la voix.

Un peu plus loin : « Je me tais. » Et Aricie lui reprochera enfin :

> Quoi ! vous pouvez vous taire en ce péril extrême ?[82].

Ce silence est une imprudence d'Hippolyte, qu'il commet par respect pour son père ; mais elle entraîne sa mort. Le silence d'Aricie est un respect du respect d'Hippolyte, et il a la même conséquence. Ainsi dans l'univers de la parole coupable on ne doit ni parler ni se taire. Déjà Oreste disait :

> Tout nous trahit, la voix, le silence...[83].

Telle est l'énigme tragique que proposent les dieux raciniens.

La mise en accusation de la parole atteint son sommet dans *Phèdre*, où le jeu est truqué. Dans cette forme de tragique aussi perverse que la statue de Mitys, les personnages ne peuvent que parler, mais ils ne peuvent aucunement se fier à la parole, qui les englue et les engage dans des impasses ou des contradictions. Il n'en était pas de même dans *Bajazet* qui obtenait différemment la perversité tragique : moins miné de l'intérieur, le langage y entrait néanmoins en conflit avec les regards et avec les actions d'autrui. Les deux tragédies manifestent électivement, chacune à sa manière, l'aspect linguistique de la cérémonie tragique.

Ces trois schèmes, du pouvoir impuissant, de la scène onirique et de la parole coupable concourent à détruire la matérialité des faits dont est composée la présentation tragique. Il en est ainsi parce que chacun des schèmes est contradictoire dans son essence. Le premier néantise une

---

82. Vers 1079-1080, 1150 et 1329.
83. *Andromaque*, vers 575.

puissance absolue, mais inutilisable. Le deuxième traduit en images de rêve les contradictions des personnages et des situations. Le troisième dénonce simultanément la parole et le silence. Par là, ces schèmes affirment leur appartenance à la cérémonie tragique, constituée elle aussi par d'insolubles contradictions. Le tragique évoque Dieu et refuse Dieu. La cérémonie est un spectacle et plus qu'un spectacle. Les premières victimes de ces contradictions sont naturellement les héros de la tragédie. Le premier schème les frappe, qu'ils soient oppresseurs ou opprimés, en leur retirant tout moyen réel d'action. Le deuxième attaque leur sensibilité, qui n'a aucune possibilité de choix entre rêverie et réalisme. Le troisième met en question tout ce que disent, c'est-à-dire tout ce que font ces mêmes héros et qui est proprement leur « rôle ». Il y a autodestruction du tragique par la cérémonie même qui le met en œuvre.

DEUXIÈME PARTIE

La cérémonie dramatique
et sa violence

L'intensité de l'émotion tragique dans la cérémonie théâtrale ordonnée par Racine se traduit, au niveau des instruments dramatiques, par des conflits plus larges et plus impitoyables qu'il n'est d'usage à son époque. La violence, mais ordonnée par la cérémonie, est la clef de sa dramaturgie. Prendre la cérémonie pour le simple vêtement d'un théâtre fait de majesté paisible a été l'une des erreurs de la critique racinienne. On a souligné abondamment, et parfois avec excès, la douceur, la noblesse, la poésie, la profondeur de sentiment. Certes, ces valeurs existent dans l'œuvre de Racine. Mais elles sont équilibrées, et au-delà, par la violence des passions les moins normales et la frénésie des ressorts dramatiques. Il importe donc de rappeler la contradiction nécessaire et créatrice entre cérémonie et dramaturgie et de se faire, face à ceux qui ne sont sensibles qu'à la poésie, l'avocat du diable. Qu'on ne s'y trompe pas : c'est par ses duretés, non par ses douceurs, que Racine reste vivant aujourd'hui. Si des mises en scène novatrices touchent des publics jeunes, ce n'est pas en privilégiant l'attendrissement, c'est en révélant, même à travers une souveraine élégance, des monstruosités. Ce travail est possible parce que la dramaturgie est d'autant plus dynamisée que la conscience de la cérémonie est profonde, et souple l'équilibre qu'elle instaure au sein de la contradiction. Par la forme noble s'affirme un théâtre dur, et plus les affrontements sont durs, plus ils doivent être cérémonieusement présentés.

S'ils sont si durs, c'est parce que le monde dramatique dans lequel les personnages cherchent leur voie n'a pas de véritables fondements. Personne n'a raison. Cet équilibre angoissant pour le logicien définit l'espace parfaitement neutre dans lequel les pulsions des personnages peuvent être aussi libres que possible. Par là, Racine évite la division manichéenne, si dommageable à toutes les époques de l'histoire du théâtre, entre les bons et les méchants. Même ses scélérats sont conduits à des crimes par une situation devant laquelle certes ils auraient pu réagir autrement, mais non, sauf peut-être Néron, par une essence mauvaise qui serait en eux, comme dans les systèmes dramatiques fondés sur une métaphysique ou une morale en soi, que l'auteur s'efforce de faire partager au spectateur.

C'est donc seulement au niveau psychologique que les familles raciniennes sont redoutables. Les types de personnages s'inscrivent dans les relations familiales qui ont été de tout temps l'objet de la littérature dramatique, mais ici, souvent, le père est dangereux, la mère est indigne, les frères sont mûs, non par l'amour mais par la haine ; parfois même l'exaltation ou le déséquilibre attaquent les racines mêmes de la personnalité, et au-delà des limites de la condition humaine normale une psychologie féroce peut introduire à une véritable pathologie. Celle-ci dépasse l'homme normal sans en abandonner le portrait, qui cherche sa vérité par le paroxysme. Dans cette perspective, Racine est un précurseur d'Artaud. Plus le tableau dramatique est cruel, plus la cérémonie qui le met en œuvre devra le transfigurer. En outre, les êtres qu'opposent les conflits ne sont pas seulement des humains. Il faut y comprendre, dans une perspective vraiment universelle, les dieux et même les animaux. Ils sont traités sans indulgence. Les excès de toutes sortes, méritant parfois l'accusation de monstruosité, marquent toutes ces catégories d'êtres.

Pareille violence éclate dans la dramaturgie. La tension des mécanismes du drame est poussée aussi loin que le permet leur précision. Il ne suffit pas de dire, comme on l'a

souvent fait, que Racine applique aisément et sans effort
les préceptes d'une esthétique que son temps considère
comme efficace. Il pousse cette esthétique à ses limites, il la
somme de multiplier ses tours et ses prestiges au-delà du
raisonnable. La dramaturgie classique pouvait être, et a
parfois été, équilibre, sérénité, raison. Par une inversion
perverse, Racine en fait un instrument de torture. Le paradoxe de la cérémonie est que cette dynamisation forcenée,
loin de donner des résultats grinçants où l'énergie paraît
se vanter et qu'on appellera plus tard, souvent pour les
critiquer de façon fort injuste, baroques ou romantiques,
revêt au contraire les aspects d'une célébration paisible
et d'autant plus puissante que ses redoutables ressorts sont
mieux dissimulés.

CHAPITRE PREMIER

L'échelle des êtres

A / COMBAT DES ACTANTS

Le père

Un père apparaît dans la première tragédie de Racine, la *Thébaïde*. Certes, la tradition légendaire fournissait ce personnage de Créon, père du jeune Hémon, qui aimait Antigone. Mais Racine l'a considérablement développé, en insistant sur sa sécheresse sentimentale. Rien de moins paternel que ce père. Pourtant Créon a deux fils. L'un, Ménécée, se suicide au IIIe acte, croyant par là satisfaire un oracle obscur ; tout à ses menées politiques, son père n'en manifeste nulle émotion. L'autre fils, Hémon, est tué au Ve acte en essayant de séparer les deux frères ennemis, Etéocle et Polynice.

Comme Hémon, Créon aime Antigone, ou du moins il voudrait l'épouser par politique afin que la légitimité de la fille d'Œdipe l'aide à devenir roi. Ce sera le calcul d'Acomat dans *Bajazet*. Dans la *Thébaïde*, Racine a dû penser que la rivalité entre le fils et le père, qui sera reprise avec bien plus de crédibilité dans *Mithridate*, rendait ce dernier plus intéressant et permettait de lui prêter des sentiments ambivalents. C'est ainsi que Créon affirme avoir pour son fils Hémon une véritable haine. Il dit de lui :

> Je le dois en effet distinguer du commun,
> Mais c'est pour le haïr encor plus que pas un,
> Et je souhaiterais, dans ma juste colère,
> Que chacun le haït comme le hait son père.

Devant des formules si excessives, Antigone remarque à juste titre :

> Mais un père à ce point doit-il être emporté ?
> Vous avez trop de haine[1].

En tout cas, lorsque ce fils meurt, le trône, comme Antigone le constate, le console « aisément » de sa perte[2]. A la scène suivante, il explique avec force à son confident qu'il est heureux, parce que la situation politique a tourné à son avantage. Le confident lui rappelant qu'il est également père, il rétorque que, « surtout », il était né pour régner. Le nom de père, développe-t-il, est un titre vulgaire, alors qu'un trône est exceptionnel[3]. Créon triomphe ici un peu trop et va en être puni par le suicide d'Antigone. Racine a voulu qu'il subordonne complètement, et peut-être plus qu'il n'est croyable, le sentiment paternel à l'ambition.

A part le père des *Plaideurs*, qui est un fou, aucune autre figure paternelle ne se présente ensuite dans le théâtre de Racine jusqu'à *Mithridate*. Pas de père dans les cinq tragédies successives, *Alexandre, Andromaque, Britannicus, Bérénice, Bajazet*. Par contre, avec *Mithridate*, le père fait une entrée fracassante dans l'univers imaginaire racinien, et il conservera un rôle important dans les deux tragédies suivantes, *Iphigénie* et *Phèdre*. *Mithridate* est par excellence une tragédie paternelle. Certes, la pièce peut être lue selon d'autres dimensions. La lutte politique contre Rome a été souvent soulignée. L'amour de Mithridate pour Monime, l'amour réciproque de Monime et de Xipharès sont des centres d'intérêt évidents. Mais la relation affective entre Mithridate et Xipharès, souvent négligée par la critique[4], est fondamentale dans le déroulement de la tragédie. Pour ses autres fils, qu'il n'aime pas, Mithridate est redoutable.

---

1. Vers 253-256 et 269-270.
2. Vers 1396.
3. Vers 1441-1448.
4. H. C. LANCASTER, dans sa magistrale *History of French dramatic literature in the 17th century*, t. IV, vol. I, p. 86, ne reconnaît à Mithridate que « a certain affection for Xipharès ».

Il en a déjà, révèle Pharnace, fait tuer deux sur de simples
soupçons[5]. Mais pour Xipharès il ne montre que l'attachement le plus profond. Il parle de sa « tendresse »[6] et de son
« amour »[7], et surtout Racine a retardé longuement le choc
décisif que devait être pour Mithridate la révélation de
l'amour que Xipharès porte à Monine. A son retour,
Mithridate apprend que Monime est aimée de Pharnace,
mais Arbate ne lui dit pas qu'elle est également aimée de
Xipharès. Quand il constate que Monime ne l'épouserait
que par obéissance, il en conclut, non sans vraisemblance,
qu'elle aime Pharnace. Le refus de Pharnace de quitter
Nymphée pour la Parthie le confirme dans cette opinion.
Arrêté, Pharnace révèle sur son frère une vérité que le roi
ne peut plus éviter. Le désarroi de Mithridate est profond.
Il s'écrie :

> Tout m'abandonne ailleurs ? Tout me trahit ici ?
> Pharnace, amis, maîtresse ? Et toi, mon fils, aussi ?[8].

D'un côté l'univers s'écroule, mais de l'autre, en une catastrophe égale, le fils chéri, le seul qui soit un vrai fils, commet
l'acte inexpiable, digne d'être rapproché, malgré l'anachro-
nisme, du geste de Brutus assassinant César. Dans le passage
où Monime, cédant aux ruses de Mithridate, lui avoue
enfin la vérité, le moment précis où intervient la réaction
du roi est hautement significatif. Elle dit :

> Si le sort ne m'eût donnée à vous,
> Mon bonheur dépendait de l'avoir pour époux.
> Avant que votre amour m'eût envoyé ce gage,
> Nous nous aimions... Seigneur, vous changez de visage![9].

Il ne change pas de visage quand elle dit qu'elle serait heureuse d'épouser Xipharès parce qu'elle l'aime. Ce qui bouleverse Mithridate, c'est le « nous nous aimions », qui contient

5. Vers 348-350.
6. Vers 468.
7. Vers 512 et 950.
8. Vers 1013-1014.
9. Vers 1109-1112.

l'amour de Monime pour Xipharès, déjà connu depuis deux vers, mais surtout l'inacceptable amour de Xipharès pour Monime. Le fils bien-aimé a trahi, et sa trahison touche Mithridate plus que celle de sa fiancée. La réaction du père est beaucoup plus forte que celle de l'amoureux.

A la fin du troisième acte, Mithridate envisage de faire mourir Xipharès. Cette réaction est dans la logique de son caractère ; mais il est incapable, lui qui est l'homme des décisions rapides et qui ne tergiverse jamais, de mettre son plan à exécution. On constate à la scène II de l'acte suivant que Xipharès a toute liberté de voir Monime. A la scène v, Mithridate hésite encore. S'il faisait tuer Xipharès, comme le voulait sans doute une dramaturgie plus élémentaire, la pièce évoluait dans un tout autre sens : Monime, par exemple, le faisait tuer, ou se tuait elle-même, et c'était *Andromaque* ou *Bajazet*, ce n'était plus une tragédie paternelle. Mais il ne peut pas. Son amour pour son fils paralyse cet homme d'action. Il ne sortira de son incertitude que grâce à des événements extérieurs : le soulèvement de Pharnace, l'attaque des Romains vont déterminer les événements du cinquième acte. Quand Mithridate décide de sauver Monime, ce n'est pas pour lui-même, puisqu'il s'est déjà percé de son épée, c'est pour la donner à Xipharès.

L'amour du fils pour le père égale celui du père pour le fils. Xipharès adore Mithridate ; il le respecte, l'admire, suit en tout sa politique et ses idées, lui est fidèle au point de renier sa mère, qui l'a jadis trahi. Il emploie sans cesse, pour le désigner, l'expression « mon père » ; celle-ci se trouve neuf fois dans la première scène[10]. Quand on annonce le retour de Mithridate qui passait pour mort, Monime dit : « Mithridate ! », Pharnace dit : « Ah, que viens-je d'entendre ? », Xipharès seul dit : « Mon père ! »[11]. Monime sait fort bien que si Xipharès perdait l'amour de son père, il en mourrait[12]. Au dénouement, Mithridate se tue parce

10. Vers 3, 27, 47, 65, 68, 70, 77, 83 et 95.
11. Vers 331.
12. Vers 1368-1369.

qu'il croit que Xipharès est mort et que par suite la situation
militaire est désespérée, et Xipharès, voyant son père mourant,
veut se tuer : le père et le fils rejouent Pyrame et Thisbé.

Iphigénie comporte deux pères, dont le plus curieux est le
moins important. La première scène du deuxième acte
expose, sans nécessité véritable, qu'un seul homme connaissait l'identité d'Eriphile : c'était le père de sa confidente
Doris. Mais il est mort, tué par Achille. Il était pour la
jeune fille d'origine inconnue un « témoin »[13], d'ailleurs
ambivalent : Eriphile regrette sa perte, mais la révélation
qu'il aurait pu faire aurait, selon l'oracle, entraîné sa mort.
Cette fonction mystérieuse, Racine, devenu sensible à
l'image paternelle, l'a attribuée à un père, mais, pour éviter
de faire d'Eriphile une autre Chimène, il n'a donné ce père
qu'à la confidente. Le père essentiel reste Agamemnon. Son
amour pour sa fille n'est pas douteux, mais son ambition,
ou du moins sa volonté de conserver son éminente position,
n'est pas douteuse non plus. Il ne manque d'ailleurs pas de
raisons objectives pour obéir à l'oracle : l'impatience de
l'armée, la puissance de Calchas, le fait que le parti de la
guerre est le plus fort et qu'il serait dangereux de s'opposer
à lui... Dans la première scène, Agamemnon constate son
goût du pouvoir :

> Moi-même, je l'avoue avec quelque pudeur,
> Charmé de mon pouvoir et plein de ma grandeur,
> Ce nom de roi des rois et de chef de la Grèce
> Chatouillait de mon cœur l'orgueilleuse faiblesse[14].

Il ne lutte pas contre ce sentiment. Celui-ci équilibre, avec
autant de force et en sens contraire, son amour paternel.
Il faudra un véritable miracle pour qu'Iphigénie échappe au
sacrifice. Que ce miracle soit constitué par l'intervention de
Diane, que Racine a refusée, ou par la découverte, impré-
visible pour tous les personnages, de l'identité d'Eriphile,
ne change rien à l'attitude d'Agamemnon.

13. Vers 439 et 453.
14. Vers 79-82.

Comme Mithridate et Xipharès, comme Agamemnon et Iphigénie, Thésée et Hippolyte s'aiment, profondément. Hippolyte, au début de la pièce, ne pense qu'à son père, ne parle que de lui[15]. La première fois qu'il rencontre celle qu'il aime, il ne lui parle, pendant une dizaine de vers, que de son père[16]. Il n'imagine son avenir que répétant les exploits de son père : comme lui, il sera tueur de monstres[17], et l'un des aspects du tragique de la pièce est justement que ce jeune homme qui voulait tant tuer les monstres est tué par un monstre. L'affection de Thésée pour son fils est également certaine. La formule « tout ce que les dieux m'ont laissé de plus cher »[18] englobe Phèdre, mais aussi Hippolyte, comme le montre son trouble ultérieur. Quand Œnone lui parle de Phèdre, il ne répond que sur Hippolyte[19]. Même après avoir condamné son fils, son amour reste profond :

> Je t'aimais, et je sens que, malgré ton offense,
> Mes entrailles pour toi se troublent par avance[20].

Cet amour est viscéral. Avec Phèdre, Thésée n'est que cérémonieux. Mais ce tueur de monstres manque de lucidité, et c'est ce qui le distingue le plus de Mithridate et d'Agamemnon et qui explique que la mort du fils soit ici consommée. Déjà, dans le passé, il fallait un certain aveuglement pour obliger Phèdre à résider à Trézène[21], en contact constant avec un fils qui ressemblait tant à son père. Thésée n'a rien compris aux sentiments de Phèdre, et il ne comprend pas davantage ceux d'Hippolyte. C'est pourquoi il regrette naïvement qu'on ne puisse pas

> à des signes certains
> Reconnaître le cœur des perfides humains[22].

---

15. Par exemple vers 5-7, 22, 74 et s., 138, etc.
16. Vers 463-472.
17. Vers 947-952.
18. Vers 972.
19. Vers 1023.
20. Vers 1161-1162.
21. Comme l'indique le vers 302.
22. Vers 1039-1040.

Cette certitude, qu'il n'obtient pas par d'autres voies, lui serait en effet bien utile. Sa légèreté et la persistance de son aveuglement éclatent dans la scène du vœu à Neptune. L'étrange jugement d'Hippolyte commence par sa condamnation : Thésée affirme d'abord qu'Hippolyte est coupable, puis le bannit, et enfin demande à Neptune de le tuer[23]. Cette progression est dictée par la colère, non par la raison ; le bannissement d'Hippolyte n'est pas un jugement, mais l'expression d'une horreur vécue ; au sens propre, Thésée ne peut plus voir son fils. Le plaidoyer d'Hippolyte qui suit est évidemment inefficace, puisqu'il intervient après la sentence. La pièce apporte bien d'autres preuves de l'aveuglement de Thésée. Il demande à Phèdre d'échauffer ses « transports trop lents, trop retenus »[24], comme s'il ne se souvenait pas qu'il a condamné son fils à mort. Devant Aricie, le volage Thésée accuse un fils d'abord indifférent aux femmes puis remarquablement constant d'être volage[25]. L'erreur de Thésée n'échappe naturellement pas à Aricie :

> Avez-vous de son cœur si peu de connaissance ?
> Discernez-vous si mal le crime et l'innocence ?[26].

Encore au début de la dernière scène, Thésée n'a qu'un « cruel soupçon »[27] de l'innocence d'Hippolyte. Mais il n'a rien fait pour savoir si ce soupçon est justifié ou non. Il a constamment refusé de voir la réalité, tout particulièrement en ce qui concerne son fils. Parmi les animaux symboliques, l'autruche a la réputation de se cacher la tête dans le sable pour éviter de voir le danger qui la menace. Thésée est une autruche. Son aveuglement, rare dans l'histoire de la tragédie, est sans doute nécessaire pour expliquer l'horreur de son crime. Il entraîne comme conséquence esthétique l'obligation d'une extrême noblesse du discours, indispensable

23. Vers 1044-1076.
24. Vers 1183.
25. Vers 1425.
26. Vers 1429-1430.
27. Vers 1595.

pour équilibrer la faiblesse du personnage si cruellement décrit par Racine.

Un autre père fait dans *Phèdre* une apparition fugitive, encore que marquée par une grande force poétique : c'est celui de l'héroïne. Minos, juge aux enfers, est évoqué comme cherchant pour Phèdre un supplice proportionné à ses crimes[28]. Même sur ce plan fantasmatique, ce père, double imaginaire de Thésée, est celui qui punit.

Une progression unit les trois pères terribles de Racine et ne mène que le dernier jusqu'à l'acte. Mithridate aime son fils Xipharès au point de ne jamais envisager sérieusement de le faire mourir, et tout ce qu'il peut faire pour lui, c'est de mourir lui-même. Agamemnon veut bien réellement la mort de sa fille, et seul un miracle empêche qu'elle meure. Thésée, seul de tous les pères de Racine, est directement responsable de la mort de son fils.

Après ce paroxysme, Racine, pour des raisons biographiques évidentes, se réconcilie avec la figure du père. On sait qu'il aura sept enfants légitimes. Déjà Mardochée, oncle d'Esther, mais que celle-ci appelle « mon père »[29], joue le rôle de sauveur. Joad est également un père spirituel pour Joas, qu'il met sur le trône. Toutefois, même dans *Athalie*, apparaît une note inquiétante. Joas, interprétant mal l'émotion de Josabeth au début du quatrième acte, pense qu'il va peut-être faire l'objet d'un « holocauste » et qu'il doit, « comme autrefois la fille de Jephté », apaiser par sa mort la colère de Dieu. Il termine par un commentaire assez sinistre :

Hélas ! un fils n'a rien qui ne soit à son père[30].

Le père est resté dangereux.

28. Vers 1278-1288.
29. Par exemple vers 156.
30. Vers 1259-1262.

La mère

Racine, âgé de trois ans quand il a perdu son père, n'avait qu'un an quand sa mère est morte ; il n'a donc pu garder d'elle aucun souvenir. Ce fait, joint à la place restreinte qu'occupent les femmes dans la société française du XVIIe siècle ainsi que dans les sociétés antiques qui sont le cadre des tragédies, explique peut-être que la figure de la mère soit dans le théâtre racinien moins riche que celle du père.

La Jocaste de la *Thébaïde* est fournie par la tradition. Elle est totalement impuissante à mettre un terme à la haine réciproque de ses deux fils. Quand elle est convaincue de cette impuissance, elle se suicide.

Andromaque semble au premier abord une mère plus convaincante, et la critique a souvent souligné que l'originalité du personnage tenait à ce qu'il était accompagné d'un petit enfant, rôle exceptionnel dans le théâtre classique. Mais Astyanax, soit parce qu'il est trop jeune, soit parce que la pièce est déjà suffisamment complexe, n'a pas de véritable caractère. Il n'est qu'un double d'Hector. Sa mère, ainsi d'ailleurs que les autres personnages, ne voit en lui que le continuateur d'Hector. Humain en apparence, le problème est donc en réalité politique, et Andromaque est moins une mère aimante qu'une veuve fidèle. Au dénouement, les derniers vers qui lui sont consacrés[31] disent qu'on la traite en reine et qu'elle se comporte en veuve de Pyrrhus ; ils ne disent rien sur l'avenir d'Astyanax, dont on nous assurait pourtant qu'il était jusque-là pour elle le moteur de son action.

Dans la galerie des mères, Agrippine est certainement la figure la plus puissante. Toutefois, pas plus qu'Andromaque, elle n'est exclusivement mère. S'ajoutent à son personnage une dimension politique et une passion du pouvoir qui expliquent, en même temps que son rôle historique, son rayonnement. Elle est la plus fréquemment présente dans

31. Vers 1589-1592.

Britannicus, où elle occupe 15 scènes sur 33 ; Néron n'en a
que 14. Elle a été une bonne mère en ce sens qu'au cours
des années elle a franchi des obstacles en apparence insur-
montables pour élever son fils à l'empire. Mais son attitude
présente n'est plus supportée par Néron, qui commence à se
révolter contre sa domination. Elle brûlait, dit Tacite, de
toutes les passions de la tyrannie : *cunctis malae domina-
tionis cupidinibus flagrans*[32].

Après avoir cité cette phrase dans sa deuxième Préface,
Racine ajoute : « Je ne dis que ce mot d'Agrippine, car il y
aurait trop de choses à en dire. » Il semble en savoir long
sur son compte. De fait, Agrippine est une mère comme
on en voit peu.

Sa politique est toute passion. Fort peu diplomatique
avec Burrhus, qu'elle devrait pourtant ménager, elle passe
très vite à la menace et aux cris. Elle parle avec tant de force
que tout ce qu'elle dit, même sincère, apparaît excessif et que
la vérité devient dans sa bouche un reproche. Tout ce qu'elle
dit pour sa propre gloire montre à son fils — et au public —
combien elle est dangereuse. Néron ne peut que la trouver
encombrante et chercher un moyen de se débarrasser d'elle.
Sa politique est condamnée à l'échec par son tempérament.
Elle ne peut vraiment ni porter Britannicus au pouvoir,
comme l'en soupçonne Néron, ni accepter la mort du
même Britannicus. Ce qu'il lui faudrait, c'est une politique
d'équilibre qui serait la perpétuation d'un précaire *statu quo*,
Britannicus et Néron se tenant mutuellement en respect.
Mais précisément, son attitude explosive menace à chaque
instant cet équilibre, et sa démesure fait d'elle, jusqu'à un
certain point, la responsable de la décision criminelle de
Néron. Elle veut tout, et tout de suite. Elle exige en quelques
vers[33] qu'on punisse ses accusateurs, que Junie épouse librement Britannicus, que Pallas ne soit pas exilé et qu'en voyant
Néron « à toute heure » elle participe en fait au gouverne-

---

32. *Annales*, liv. 13, chap. 2.
33. Vers 1288-1292.

ment. Ce serait, si Néron l'acceptait, une capitulation sans
conditions. Aussi ne cède-t-il qu'en apparence. Aucun
arrangement raisonnable, aucun compromis n'est possible
avec une telle mère. La fonction maternelle est donc obnu-
bilée, en Agrippine, par le bruit et la fureur des autres aspects
de sa personnalité. On fausserait complètement le sens de la
pièce, si, par souci moral, on voulait opposer au méchant
Néron une bonne mère, voire une mère martyre. Elle est un
fauve opposé à un autre autre fauve.

Dans *Mithridate*, la mère est le repoussoir du père. A la
politique constamment antiromaine de Mithridate s'oppose la
trahison de Stratonice, mère de Xipharès, qui livre une ville
aux Romains. A l'amour de Xipharès pour son père s'oppose
la véritable honte qu'il éprouve au souvenir de ce qu'il
appelle le « crime » [34] passé de sa mère. Cet épisode, qui
n'était nullement nécessaire à l'action de la tragédie, est
évoqué à cinq reprises[35]. La figure de la mère y est humiliée,
politiquement et sentimentalement.

Clytemnestre joue dans *Iphigénie* un rôle important,
puisqu'elle paraît dans 15 scènes sur 37, autant qu'Agamemnon et plus qu'Iphigénie. Son caractère passionné la fait
ressembler à certains égards à Agrippine : le texte parle de
sa « fureur »[36], la déclare, à juste titre, « intrépide »[37] et souligne
aussi son « orgueil »[38]. Mais devant la situation militaire et
religieuse, elle ne peut que pousser de beaux cris. Elle est
aussi impuissante que Jocaste à agir sur les événements.

A côté de ses deux pères, *Phèdre* compte deux mères.
L'une est Phèdre elle-même. Elle évoque à plusieurs reprises
ses enfants et se reproche de ne rien faire pour eux ; mais
il est vrai qu'elle ne fait rien pour eux. Là encore, la fonction maternelle ne semble évoquée que pour montrer son
inutilité, ou bien, comme c'est le cas pour Antiope, pour

---

34. Vers 67.
35. Vers 61-74, 469-472, 613-614, 940-948, 1319-1322.
36. Vers 147 et 1121.
37. Vers 1437.
38. Vers 422.

être rejetée dans un passé révolu. Antiope, mère d'Hippolyte, était une Amazone[39], une Scythe[40], une étrangère[41], une barbare[42]. Elle sert à expliquer que, sous son influence héréditaire, le chasseur Hippolyte soit rebelle à la civilisation raffinée d'Athènes et de Trézène. Mais fallait-il pour autant mentionner dix fois[43] cette mère humiliée ?

Dans l'ensemble, la figure de la mère est plus fréquente, bien que moins importante, que celle du père dans les tragédies de Racine. Elle ne fournit jamais le personnage central d'une pièce. Ni Andromaque ni Agrippine ne peuvent, pour des raisons différentes, revendiquer ce titre. Presque toujours, la mère est condamnée comme inefficace. Tout se passe comme si Racine, qui aurait pu éliminer plusieurs de ces personnages de mères, les avait précisément appelés à l'existence dramatique pour leur reprocher de ne pas exister suffisamment.

La revanche, c'est, bien entendu, *Athalie* qui l'apporte. Si Josabeth y est une mère banale en ce que, conformément aux idées du XVIIe siècle, elle remplit, dans l'obéissance à son mari, tous ses devoirs vis-à-vis de son fils Zacharie et de son fils spirituel Joas, Athalie est une mère, ou plutôt une grand-mère, digne d'Agrippine. Elle a voulu tuer Joas et a échoué. Au contraire, elle est tuée, sinon par Joas lui-même, du moins par le parti de Joas. La leçon de *Phèdre* est inversée. Dans ces deux formes extrêmes du théâtre racinien que sont *Phèdre* et *Athalie*, le père tue, la mère est tuée.

Le frère et la sœur

Alors que le théâtre de Corneille regorge de bons frères et de bonnes sœurs, celui de Racine présente avec prédilection le thème des frères ennemis. Cinq de ses tragédies font une place plus ou moins importante à ce thème. Un passage

39. Vers 69, 204, 262.
40. Vers 210.
41. Vers 328 et 489.
42. Vers 787-788.
43. Vers 124-126, 946, 1101, et les vers indiqués ci-dessus.

des *Mémoires* de Louis Racine permet d'entrevoir une origine biographique possible à la sensibilité de Racine sur ce
point, sans qu'on puisse, malheureusement, discerner dans
quel sens s'orientaient ses émotions. Racine avait une sœur,
Marie, née un an après lui et dont la naissance coûta la
vie à leur mère. Elle fut élevée avec Racine à La Ferté-Milon
par leur grand-père Sconin ; elle vécut jusqu'à l'âge de
92 ans sans quitter La Ferté-Milon. Or Racine n'avait aucune
estime pour les membres de sa famille, qu'il appelle « de
francs rustres »[44], à l'exception de l'oncle d'Uzès. Cette antipathie englobe-t-elle sa sœur ? Ou bien les souvenirs d'enfance exceptent-ils Marie Racine de la malédiction lancée
sur la relation fraternelle ? On constate en tout cas que le
frère et la sœur, dans le théâtre racinien, sont traités différemment. Une véritable haine fraternelle a dû exalter
le jeune Racine pour qu'il choisisse comme sujet de sa
première pièce *La Thébaïde ou les Frères ennemis*. Certes l'antagonisme entre Etéocle et Polynice, qui pousse les fils d'Œdipe
à s'entre-tuer, est donné par la tradition. Mais Racine éprouve
le besoin de l'expliquer et de le renforcer par l'origine incestueuse des personnages. Avant d'être confronté à son frère,
Etéocle développe ainsi ses sentiments devant Créon :

> Nous étions ennemis dès la plus tendre enfance.
> Que dis-je ? nous l'étions avant notre naissance,
> Triste et fatal effet d'un sang incestueux !
> Pendant qu'un même sein nous renfermait tous deux,
> Dans les flancs de ma mère une guerre intestine
> De nos divisions lui marqua l'origine.
> Elles ont, tu le sais, paru dans le berceau
> Et nous suivront peut-être encor dans le tombeau[45].

Et il insiste :

> On dirait que le ciel, par un arrêt funeste,
> Voulut de nos parents punir ainsi l'inceste,
> Et que dans notre sang il voulut mettre au jour
> Tout ce qu'ont de plus noir et la haine et l'amour[46].

44. Lettre à Nicolas Vitart du 6 juin 1662.
45. Vers 919-926.
46. Vers 927-930.

Il s'agit donc d'une sorte de fatalité biologique, engendrant une haine prénatale, jetant l'un contre l'autre les jumeaux pour toute leur vie et constituant à la fois la conséquence et la punition de l'inceste de leurs parents. Une description si particularisée ne peut guère trouver d'application en dehors de la situation si exceptionnelle de la famille d'Œdipe. Pourtant, Racine ne se lassera jamais de trouver d'autres justifications à d'autres couples de frères ennemis.

Britannicus montre que, si la relation fraternelle suggère le meurtre, à l'inverse, un meurtre attesté engendre, pour l'imagination poétique, une relation quasi fraternelle. L'histoire romaine enseigne que Néron a fait tuer Britannicus. Elle n'enseigne nullement que les deux hommes étaient frères, ni même demi-frères. Néron est fils de Domitius et d'Agrippine, Britannicus fils de Claude et de Messaline. Ils n'ont ni le même père ni la même mère. Ils ne sont nullement frères au sens actuel du terme. La situation politique a fait d'eux des adversaires. Britannicus dit expressément que Néron est son « ennemi »[47]. Pourtant, le fait qu'ils aient l'un et l'autre des titres indirects à la succession d'Auguste, qui précisément les opposent, établit entre eux une sorte de relation de parenté. C'est celle que la langue du XVIIe siècle exprimait par le terme de « neveux ». A la fin de la pièce, Junie, s'adressant à la statue d'Auguste, lui disait :

> Rome, dans ton palais, vient de voir immoler
> Le seul de tes neveux qui pût te ressembler[48].

Néron est un autre de ces « neveux » ; mais il est criminel, alors que Britannicus était vertueux comme Auguste lui-même. Il n'en faut pas davantage pour que Racine, profondément attiré par la relation du frère ennemi, plaque le mot et le reproche de « frère » sur le geste de Néron. Il apparaît dès les premières paroles de Néron, puis dans la

47. Vers 734.
48. Vers 1733-1734.

bouche de Junie, au moment précis où l'empereur fait arrêter Britannicus :

> Que faites-vous ?
> C'est votre frère. Hélas ! c'est un amant jaloux[49].

La jalousie amoureuse provoque l'acte injuste qui suffit à évoquer la relation fraternelle. Celle-ci une fois instituée sera rappelée à huit reprises dans la pièce[50]. Les voies détournées du discours auront ainsi permis à Néron, comme à Polynice, de tuer son frère.

Amurat et Bajazet sont frères également et, sans qu'il soit nécessaire qu'ils descendent de quelque Auguste turc, leur relation fait de celui qui ne règne pas un danger pour celui qui règne et l'expose par conséquent à être tué par son frère. Acomat l'explique fort clairement à son confident :

> Tu sais de nos sultans les rigueurs ordinaires :
> Le frère rarement laisse jouir ses frères
> De l'honneur dangereux d'être sortis d'un sang
> Qui les a de trop près approchés de son rang[51].

Bajazet est menacé du seul fait qu'il est frère du sultan et aussi parce qu'il a une brillante personnalité. Pour échapper au danger, il faudrait être déjà presque mort, aliéné incapable de régner, comme cet autre frère dont les vers suivants tracent le pittoresque portrait :

> L'imbécile Ibrahim, sans craindre sa naissance,
> Traîne, exempt de péril, une éternelle enfance :
> Indigne également de vivre et de mourir,
> On l'abandonne aux mains qui daignent le nourrir[52].

Ainsi établie comme créatrice de tragique, la relation fraternelle est souvent rappelée dans la pièce[53]. Les mentions

---

49. Vers 1069-1070.
50. Vers 1211, 1217, 1303, 1385, 1618, 1620, 1675 et 1708. Les vers 1450 et 1454 se rapportent non à la relation entre Britannicus et Néron, mais à celle qui existe entre Britannicus et Octavie.
51. Vers 105-108.
52. Vers 109-112.
53. Vers 74, 125, 130, 134, 247, 302, 309, 362, 533, 948, 1090 et 1317.

qui en sont faites ne sont certainement pas toutes indispensables, sauf pour confirmer qu'un frère, tout au moins en milieu turc et s'il est capable d'accéder au pouvoir, est par définition en danger d'être tué par son frère. La contre-épreuve, car elle existe, se réfugie à la fin de la seconde Préface de *Bajazet*. Un des fils de Soliman « se tua lui-même sur le corps de son frère aîné, qu'il aimait tendrement et que l'on avait fait mourir pour lui assurer l'Empire ». Beau sujet d'une tragédie que Racine n'a pas écrite... Ce frère qui aimait tendrement son frère est par là exclu de l'univers tragique racinien.

Xipharès et Pharnace sont fils de Mithridate, mais de mères différentes. Tout les oppose : leur attitude vis-à-vis de Rome, vis-à-vis de leur père et vis-à-vis de Monime. Il n'est pas étonnant que leur conflit se termine par une lutte armée.

Le dernier couple de frères ennemis se trouve dans *Athalie*, ou plutôt dans l'avenir d'*Athalie*. Rien dans le sujet de la pièce n'appelait ce thème. Racine n'a pu se retenir d'évoquer le futur sanglant de deux jeunes gens qui, dans le présent, se considèrent comme frères. Au moment où il est couronné, Joas dit :

Venez, cher Zacharie, embrasser votre frère[54].

Zacharie n'est pas le frère de Joas selon le sang. Il est son frère spirituel, choisi ; ils ont été élevés ensemble, comme des frères. Pendant qu'ils s'embrassent, Joad dit :

Enfants, ainsi toujours puissiez-vous être unis ![55].

Or le spectateur qui a lu la Bible sait qu'un peu plus tard Joas tuera Zacharie...

Si les frères sont ennemis par nature ou par vocation, le frère et la sœur, lorsque le théâtre de Racine les met en présence, ce qui est assez rare, s'aiment. Dans la *Thébaïde*,

54. Vers 1414.
55. Vers 1416.

les expressions de l'amour sont généralement très conventionnelles. Antigone n'est guère convaincante dans ses rapports avec son « amant » Hémon, elle a pour son frère
Etéocle de la considération, mais non de l'amour, et elle
n'aime plus son autre frère Polynice, devenu un brutal.
Mais elle l'a aimé, et pour la première fois dans l'œuvre de
Racine, elle exprime son attachement passé avec des mots
et des raisons qui deviendront ceux du véritable amour :

> Nous nous aimions tous deux dès la plus tendre enfance
> Et j'avais sur son cœur une entière puissance.
> Je trouvais à lui plaire une extrême douceur
> Et les chagrins du frère étaient ceux de la sœur[56].

A la douceur du sentiment correspond, ce qui est rare dans
la *Thébaïde*, la douceur de la forme poétique. Un chant
racinien commence à se faire entendre. Antigone aime son
frère comme elle devrait aimer Hémon ; mais le passage
à l'exogamie ne s'est pas encore fait, et tous ces œdipiens
sont assez innocents.

Un frère et une sœur plus subtils paraissent dans *Britannicus*. Junie avait un frère, Silanus, dont les deux Préfaces rappellent, d'une part qu'il aimait tendrement sa
sœur, au point que leurs ennemis les accusaient d'inceste,
d'autre part qu'il était fiancé à Octavie et qu'il se tua de
désespoir le jour où cette jeune fille épousa Néron. Naturellement le fait qu'Octavie descendait d'Auguste, et par conséquent représentait pour celui qui l'épouserait un atout politique, peut expliquer aussi le désespoir de Silanus. Mais,
à s'en tenir à la leçon sentimentale, celui-ci a eu avec sa
sœur une relation affectueuse que Racine approuve pleinement, puis, ayant réussi à transférer ses sentiments sur
Octavie, il a été cruellement déçu par la préférence donnée
à Néron. L'épisode, ou en tout cas le rappel de ce Silanus,
a frappé Racine, puisqu'il l'évoque quatre fois dans *Britannicus*[57].

---

56. Vers 367-370.
57. Vers 63-66, 225-226, 411-412 et 1141-1142.

L'héroïne d'*Iphigénie* traite Eriphile comme une sœur.
Le mot est prononcé par Doris réconfortant sa maîtresse :

> Maintenant, tout vous rit : l'aimable Iphigénie
> D'une amitié sincère avec vous est unie.
> Elle vous plaint, vous voit avec des yeux de sœur[58].

Mais bientôt, Iphigénie soupçonne Eriphile d'aimer Achille ;
elle l'appelle « perfide »[59] et « cruelle »[60]. Puis, rassurée par
Achille, elle demande à celui-ci, avant de l'épouser, de libérer
sa captive ; elle agit en sœur aimante. Malheureusement
Eriphile, mauvaise sœur, trahit Iphigénie et provoque la
crise finale. Quand tout est dit, Ulysse définit d'une manière
juste les rapports des deux jeunes filles :

> La seule Iphigénie
> Dans ce commun bonheur pleure son ennemie[61].

Les deux sœurs étaient en réalité des ennemies. Elles rejoi-
gnaient le modèle racinien des frères.

Quand la sœur ne participe pas au schéma d'amour ou
de haine pour sa sœur ou pour son frère, elle n'est qu'un
moyen technique d'invention dramatique, mais ce moyen
est d'un intérêt très général et dépasse largement le théâtre
de Racine. *Alexandre* montre assez bien comment il fonctionne. Taxile a dans cette tragédie une sœur, Cléofile, aimée
d'Alexandre. Lui-même aime Axiane, qui le dédaigne. A la
fin du troisième acte, Alexandre, dont les arrangements
sentimentaux suivent les victoires militaires, est amené à
comprendre que si Taxile obtient Axiane, il lui donnera
en mariage sa sœur Cléofile. Cette solution, qui ne sera
finalement pas retenue, est une solution de comédie. Elle
permet un dénouement heureux par la constitution de deux
couples, quelquefois de trois. Pour y parvenir, une sœur,
monnaie d'échange, rameau latéral, issue d'une côte du

58. Vers 409-411.
59. Vers 678 et 700.
60. Vers 711.
61. Vers 1789-1790.

héros comme Eve de celle d'Adam, est indispensable. Elle
exerce une fonction dramatique de duplication. Elle appelle,
et généralement obtient, l'homme, ou le bonheur, ou le
malheur, qui la complétera. Plusieurs personnages de
Racine sont construits de cette façon. Salomith, sœur de
Zacharie, ne reçoit qu'une fonction esthétique, celle de
chef du chœur, et la Préface d'*Athalie* précise bien qu'elle
n'a été créée par Racine que pour remplir cette fonction.
Dans d'autres tragédies, la duplication comique joue dans
un contexte de mort. Junie, sœur de Silanus, sinon inventée,
du moins prodigieusement développée par Racine, punit
Néron de la mort de son frère ; dans une comédie, elle
l'aurait épousé. Aricie est déléguée par ses six frères morts
pour poser à Thésée le problème à la fois politique et sentimental à l'occasion duquel Hippolyte succombera ; l'orientation vers le mariage est indiquée, mais elle est interrompue
par la tragédie. Dans l'ensemble, les sœurs ont néanmoins
un rôle subordonné par rapport aux frères, comme les mères
par rapport aux pères.

Figures de l'amour

L'infériorité évidente des deux premières pièces de
Racine par rapport à *Andromaque* et aux tragédies suivantes
tient à ce qu'elles ne proposent de l'amour que des conceptions et des expressions, non seulement conventionnelles,
mais contradictoires avec le comportement d'un personnage tragique. La plus ancienne et la plus répandue de ces
conceptions est celle que l'on appelle parfois précieuse,
mais qui déborde de beaucoup les excès ou les ridicules de
la Préciosité pour animer, sous le nom de galante, de trop
vastes secteurs de la poésie, du roman, et hélas du théâtre,
de longues années avant Racine. Elle consiste en ce que
l' « amant » se considère comme entièrement au pouvoir de
sa belle : il est enfermé dans une « prison » sentimentale,
il est attaché par des « chaînes » ou par des « fers », son
cœur « brûle » de désespoir et d'amour, et d'ailleurs il a

« donné son cœur », donc il ne l'a plus et ne peut prendre aucune initiative sans la permission de sa bien-aimée ; il est devant elle « tremblant » de respect et comme « mort ». Cette imagerie, malgré l'excès de son expressivité, peut rendre compte d'une aliénation véritable qui trouverait sa place dans une tragédie, mais elle ne correspond nullement, ni à la réalité contemporaine, où le pouvoir des hommes, des pères et des maris est écrasant, ni aux exigences de la dramaturgie nouvelle, puisqu'un théâtre d'action ne peut se développer à partir d'une telle passivité.

C'est pourtant cette langue que parle la *Thébaïde*. Hémon dit à Antigone que ses « beaux yeux » sont pour lui des « dieux » et qu'il a peur d'être « téméraire » en demandant :

> Souffrent-ils sans courroux mon ardente amitié ?
> Et du mal qu'ils ont fait ont-ils quelque pitié ?[62].

Il attend les « arrêts tout-puissants » d'Antigone pour savoir si ses « soupirs » l'ont « offensée »[63] et serait « heureux » de « mourir » sous ses « lois »[64]. Dans la Préface, Racine affirme que « les tendresses ou les jalousies des amants ne sauraient trouver que fort peu de place parmi les incestes, les parricides et toutes les autres horreurs » qu'exige le sujet. C'est parce qu'il ne connaît encore qu'un amour galant, effectivement incompatible avec la puissance tragique ; il est défini d'abord par la tendresse, sentiment qui s'insère malaisément dans une cérémonie dramatique ou tragique ; en second lieu seulement vient la jalousie, qui n'est qu'un procédé. Des exigences de la passion, il n'est pas question. *Phèdre* donnera au même problème une solution exactement contraire : l'amour, mais un amour vrai, non seulement y coexistera avec l'inceste et l'adultère, mais tirera sa force de la force même des interdictions.

Le héros d'*Alexandre* manie, comme le jeune Hémon, le langage de la galanterie. Il brûle d'un « beau feu », il pousse

---

62. Vers 317-322.
63. Vers 435-437.
64. Vers 442.

des « soupirs »[65] ; les yeux de Cléofile sont pour lui d' « aimables tyrans »[66] ; tout vainqueur qu'il est, il avoue « sa défaite »[67] : il est pris dans « les beaux nœuds »[68] de son amour. L'équivalence précieuse entre amour et prison ne cesse d'affaiblir et de dévaloriser aussi bien le sentiment même qu'elle exprime que les dangers, parfois réels, que court le personnage amoureux.

Au poncif galant s'en ajoute dans *Alexandre* un autre, hérité sans doute de Corneille. L'auteur de *Nicomède* et de *Sertorius* avait fait jouer dans ces deux pièces, et continuera d'utiliser dans plusieurs tragédies de *Sophonisbe* à *Pulchérie* un sentiment qu'il appelait « amour politique » et qui, s'il n'excluait pas la sincérité sentimentale, la subordonnait pourtant aux nécessités d'un réalisme social et politique. Telle serait, selon Cléofile, l'attitude d'Alexandre. Elle lui dit :

On attend peu d'amour d'un héros tel que vous[69].

Cette position est, pour Racine à cette époque, inauthentique, dans la mesure surtout où elle contredit les déclarations d'esclavage de l'amour galant. Au reste, le ressort sentimental et le ressort politique sont si faux qu'au lieu de se renforcer mutuellement comme le voulait Corneille, ils s'affaiblissent l'un l'autre. La conception de la gloire, c'est-à-dire de la politique, est dans *Alexandre* aussi superficielle que celle de l'amour. Voici comment Alexandre définit ses buts de guerre :

Oui, j'ai cherché Porus, mais, quoi qu'on puisse dire,
Je ne le cherchais pas afin de le détruire.
J'avouerai que, brûlant de signaler mon bras,
Je me laissai conduire au bruit de ses combats
Et qu'au seul nom d'un roi jusqu'alors invincible
A de nouveaux exploits mon cœur devint sensible[70].

65. Vers 349 et 353.
66. Vers 895.
67. Vers 898.
68. Vers 903.
69. Vers 879.
70. Vers 1021-1026.

La révolution d'*Andromaque*, c'est qu'elle rompt défi-
nitivement avec les traditions dangereuses de l'amour galant
et de l'amour politique et qu'elle leur substitue des ressorts
proprement raciniens. A peine au début de la tragédie
Oreste parle-t-il encore des « fers »[71] et des « chaînes »[72] où
le tient Hermione ; et pour lui ces images ne sont pas si
fausses. Mais la première Préface se venge de la servitude
passée en ironisant sur Céladon. J'avoue, dit Racine, que
Pyrrhus « n'est pas assez résigné à la volonté de sa maîtresse
et que Céladon a mieux connu que lui le parfait amour. Mais
que faire ? Pyrrhus n'avait pas lu nos romans, il était violent
de son naturel, et tous les héros ne sont pas faits pour être
des Céladons ». Par là est reniée la conception galante de
l'amour qui empêchait les deux premières tragédies de
Racine d'être efficaces. Elle s'appliquait à Pyrrhus, fils du
bouillant Achille, moins qu'à tout autre. En la refusant,
Racine se préservait de la fadeur qui l'avait naguère para-
lysé. Bien entendu, les autres personnages participent également à cette vigueur nouvelle.

Quant à l'amour politique, par lequel Corneille n'avait
pas obtenu le grand succès que Racine espérait, il est,
dès *Andromaque*, remplacé par une nette division, voire
une opposition tranchée, entre amour et politique. Il ne
s'agit plus de faire servir l'un à l'autre. L'amour pousse
Pyrrhus vers Andromaque et la politique vers Hermione.
Oreste ambassadeur devrait vouloir que sa mission réus-
sisse, Oreste amoureux veut qu'elle échoue. L'amour de
Néron pour Junie joue contre ses intérêts politiques, et
Burrhus s'en rend bien compte. Il dit à l'empereur, parlant
d'Agrippine :

> Elle sait son pouvoir ; vous savez son courage ;
> Et ce qui me la fait redouter davantage,
> C'est que vous appuyez vous-même son courroux
> Et que vous lui donnez des armes contre vous.

71. Vers 32.
72. Vers 44.

Ces armes sont constituées par l' « amour » qui « possède »[73]
Néron. De même, à s'en tenir exclusivement au plan politique, Britannicus a tort d'aimer Junie et Junie a tort de
refuser Néron. La contradiction est partout. La tragédie
de *Bérénice* est consacrée presque exclusivement à la lutte
implacable entre un amour qui n'est qu'amour et une
conscience politique très élevée qui ruine les espoirs de
l'amour. Dans *Bajazet*, tout serait simple si le héros pouvait aimer Roxane ; mais là non plus, le sentiment et la
volonté politique ne concordent pas. *Mithridate* juxtapose,
sans presque jamais les mêler, les mouvements de sentiment,
qu'ils concernent Monime ou les rapports du père et des
fils, avec les mouvements d'action politique ou militaire.
La jalousie d'Eriphile dans *Iphigénie* entraîne dans les deux
domaines des conséquences différentes : sentimentalement,
elle tend à séparer Achille d'Iphigénie, mais politiquement
elle tend à provoquer entre Achille et Agamemnon une
scission qui affaiblirait les Grecs. La fille d'Hélène évoque
avec joie cette perspective :

> Que d'encens brûlerait dans les temples de Troie
> Si, troublant tous les Grecs et vengeant ma prison,
> Je pouvais contre Achille armer Agamemnon,
> Si leur haine, de Troie oubliant la querelle,
> Tournait contre eux le fer qu'ils aiguisent contre elle...[74].

Il est évident enfin que le sentiment de Phèdre pour Hippolyte ne va pas dans le sens de son intérêt politique, qui
devrait la pousser à mettre son fils sur le trône.

Ainsi séparé énergiquement de la galanterie d'une part,
et de la politique d'autre part, l'amour racinien va étendre
son domaine. Pour y parvenir, il ne dédaignera pas d'utiliser
parfois des éléments thématiques contemporains. Les thèmes
à la mode sur l'amour sont nombreux au XVIIᵉ siècle et
Racine en utilisera, prudemment ou en les modifiant, plusieurs aspects. Sur la naissance de l'amour, trois thèmes au

73. Vers 771-775.
74. Vers 1134-1138.

moins sont attestés : l'amour peut naître de l'estime, d'un coup de foudre ou de la contemplation d'un portrait. Tous trois ont des résonances chez Racine. Tendre-sur-Estime n'est pas oublié chez les romanciers, mais existe sans doute aussi à la base des sentiments les plus forts proposés par la tragédie racinienne à des personnages eux-mêmes estimables. Britannicus et Junie, Titus et Bérénice, Xipharès et Monime, Hippolyte et Aricie ont dû s'estimer avant de s'aimer. L'amour en coup de foudre est celui que connaît Néron à la minute où il a aperçu Junie pour la première fois. Le thème du portrait, qui peut nous paraître artificiel, était fort répandu. Racine l'a transfiguré dans *Bajazet*. Pour établir, dans un milieu aussi défavorable que le sérail, une relation amoureuse entre Roxane et Bajazet, un intermédiaire était indispensable. C'est Acomat. Il refuse le thème trop romanesque du portrait proprement dit, mais s'en sert pour faire à Roxane une description flatteuse du jeune homme. « Je lui vantai ses charmes »[75], dit-il. Il s'agit donc d'une sorte de portrait parlé, qui entraîne le résultat désiré : Roxane devient amoureuse de Bajazet.

Racine disposait en outre, parmi les formulations traditionnelles de l'amour, de deux présentations à première vue mal adaptées à la tragédie, puisque l'une est surtout fréquente dans la comédie et l'autre dans la tragi-comédie. La première est celle du vieillard amoureux. Elle remonte à la comédie latine et est encore très vivante dans le type de Pantalon de la *commedia dell'arte*. Dès 1660, Corneille avait revendiqué la possibilité d'adapter cette figure à l'univers tragique, et il le fera à plusieurs reprises. Racine le fait dans *Mithridate*, dont le héros, qui lutte contre Rome depuis quarante ans[76] et parle de ses « cheveux blancs »[77], est néanmoins fiancé à une jeune fille qu'il aime ; redoutable, il n'est nullement ridicule. L'autre thème possible, d'origine

---

75. Vers 138.
76. Vers 9, 570, 879 et 910.
77. Vers 1040.

romanesque, est celui de l'amour pour un personnage qui
est ou devrait être, objectivement, un ennemi. Il va parfois,
dans la tragi-comédie, jusqu'à la forme absurde du roi
qui fait la guerre à une reine parce qu'il l'aime, pour la
contraindre à l'épouser. Tout en refusant de telles invrai-
semblances, Racine s'est parfois souvenu de telles situations
parce qu'elles permettent de concilier l'intérêt sentimental
et l'antagonisme dramatique. Le héros d'*Alexandre* n'a
démarqué que de peu le thème de la guerre qu'on fait par
amour en ce qu'il lance ses armées contre Taxile, dont il
aime la sœur, Cléofile. Son confident, respectueux du thème,
dit à celle-ci :

> C'est pour vous qu'on l'a vu, vainqueur de tant de princes,
> D'un cours impétueux traverser vos provinces
> Et briser en passant, sous l'effort de ses coups,
> Tout ce qui l'empêchait de s'approcher de vous[78].

Débarrassé de l'image militaire, l'amour de Néron pour
Junie est du même type ; elle est pour lui une ennemie politique ; il ne devrait pas l'aimer. Titus, vainqueur de Jérusalem, aime néanmoins la Juive Bérénice. Dans de tout autres
circonstances, Assuérus aime une autre Juive, et le texte
d'*Esther* souligne le caractère paradoxal de cet amour :

> Le fier Assuérus couronne sa captive
> Et le Persan superbe est aux pieds d'une Juive[79].

Mais c'est l'amour d'Eriphile pour Achille dans *Iphigénie*
qui constitue le traitement le plus hardi de ce type de situation. Il en est ainsi, non seulement parce que la guerre y
fait un retour en force, mais surtout parce que cet amour
tire sa puissance de ce qui devrait l'interdire : c'est parce
qu'il est ennemi, et non bien qu'il soit ennemi, qu'Eriphile
aime Achille. A partir du moment où l'on admet que
l'amour est un absolu et qu'il n'a aucun besoin d'être jus-

---

78. Vers 377-380.
79. Vers 27-28.

tifié par des raisons, les raisons qui joueraient contre lui ne servent qu'à l'enflammer. Eriphile dit à sa confidente :

> Ce destructeur fatal des tristes Lesbiens,
> Cet Achille, l'auteur de tes maux et des miens,
> Dont la sanglante main m'enleva prisonnière,
> Qui m'arracha d'un coup ma naissance et ton père,
> De qui, jusques au nom, tout doit m'être odieux,
> Est de tous les mortels le plus cher à mes yeux[80].

Cet amour n'est pas seulement remarquable par ce qu'un moderne appellerait ses composantes sadomasochistes. Il pèse aussi d'un poids fort lourd dans l'équilibre de la pièce. Le personnage d'Eriphile, né, comme l'explique la Préface, du désir de Racine d'éviter l'intervention miraculeuse de Diane au dénouement, devait justifier son supplice par un préjudice causé à Iphigénie, qui l'aime comme une sœur. C'est pourquoi Achille est à la fois fiancé à Iphigénie, qu'il aime, et aimé d'Eriphile. Ce personnage d'Achille, nullement indispensable au thème central du sacrifice d'Iphigénie, détourne dans une certaine mesure l'attention des problèmes d'Agamemnon et peut-être même de ceux de Clytemnestre. Le couple Eriphile-Achille est donc ajouté à la légende tragique, suivant en cela l'exemple de Corneille dans *Œdipe* et dans *Tite et Bérénice*. C'était payer la modernisation du dénouement par une complexité accrue.

Sur l'origine de l'amour et sur les droits qu'une certaine origine peut lui conférer, Racine construit peu à peu, d'*Andromaque* à *Mithridate*, une image qui lui est personnelle. L'Hermione d'*Andromaque* se borne à constater qu'Oreste est le premier homme qui ait été amoureux d'elle[81]. Cette priorité, mentionnée fugitivement, est néanmoins dans un rapport objectif avec l'évidente profondeur de l'amour d'Oreste. L'amour de Britannicus et de Junie n'est pas moins profond, et il reçoit en outre une sorte de sanction issue du passé historique dans lequel il s'est déve-

---

80. Vers 471-476.
81. Vers 533-534.

loppé : l'empereur Claude voulait que son fils Britannicus épouse Junie. Celle-ci le rappelle à Néron, en disant de Britannicus :

> Peut-être il se souvient qu'en un temps plus heureux
> Son père me nomma pour l'objet de ses vœux.
> Il m'aime ; il obéit à l'empereur son père...[82].

Dans *Bérénice*, cette sorte de légitimation à la fois par l'ancienneté du sentiment et par l'agrément du membre de la famille dont la jeune fille dépend désigne Antiochus. Celui-ci rappelle à Bérénice qu'il a reçu « le premier trait »[83] qui partit de ses yeux et ajoute aussitôt :

> J'aimai. J'obtins l'aveu d'Agrippa votre frère[84].

Tout, dans la légalité qui se dessine, confère à Antiochus le droit d'être aimé. Mais Titus survint, et les droits d'Antiochus sont oubliés. *Bajazet* revient à quatre reprises sur la légitimité que donne à un sentiment le fait qu'il remonte à l'enfance et qu'il est autorisé par une mère. Atalide rappelle à son esclave Zaïre l'ancienneté des liens qui l'unissent à son cousin germain, Bajazet :

> J'aimais, et je pouvais m'assurer d'être aimée.
> Dès nos plus jeunes ans, tu t'en souviens assez,
> L'amour serra les nœuds par le sang commencés.
> Elevée avec lui dans le sein de sa mère,
> J'appris à distinguer Bajazet de son frère.
> Elle-même avec joie unit nos volontés[85].

Mêmes affirmations devant Roxane :

> Je l'aimai dès l'enfance, et dès ce temps, madame,
> J'avais par mille soins su prévenir son âme.
> La sultane sa mère, ignorant l'avenir,
> Hélas, pour son malheur, se plut à nous unir[86].

82. Vers 557-559.
83. Vers 190.
84. Vers 191.
85. Vers 358-363.
86. Vers 1581-1584.

Lorsque Atalide évoque sa jalousie vis-à-vis de Bajazet, l'image de la mère reparaît :

> Je n'ai rien négligé, plaintes, larmes, colère,
> Quelquefois attestant les mânes de sa mère[87].

Quand enfin elle se tue en invoquant tous ceux que sa mort va venger, Atalide n'oublie ni cette mère garante de son amour ni le paradis enfantin :

> Toi, mère malheureuse et qui, dès notre enfance,
> Me confias son cœur dans une autre espérance...[88].

Dans *Mithridate*, si la caution donnée par la mère passe à l'arrière-plan, le rôle du temps, par contre, est renforcé. Xipharès se borne d'abord à affirmer : « J'aimai la reine le premier »[89], donc avant Mithridate. Devant Monime, il est plus explicite :

> Si le temps peut donner quelque droit légitime,
> Faut-il vous dire ici que le premier de tous
> Je vous vis, je formai le dessein d'être à vous,
> Quand vos charmes naissants, inconnus à mon père,
> N'avaient encore paru qu'aux yeux de votre mère[90].

Le temps et la mère encadrent significativement cette déclaration. Oui, le temps peut donner quelque droit légitime, c'est ce qu'impliquent toutes les tragédies raciniennes forcées par la règle des vingt-quatre heures de chercher leur légitimité dans le passé. Et cette mère admirant les « charmes naissants » de Monime autorisait sans doute, ne serait-ce que par sa seule présence, la recherche de Xipharès.

   Les situations d'*Iphigénie* et de *Phèdre* ne permettent pas cette sorte de sanction. Toutefois, l'amour d'Achille pour Iphigénie, à défaut d'ancienneté, possède l'autorisation maternelle[91], et l'amour d'Aricie pour Hippolyte, sans pou-

---

87. Vers 1597-1598.
88. Vers 1741-1742.
89. Vers 46.
90. Vers 192-196.
91. Vers 639-640.

voir se référer à des parents qui l'appuieraient, a du moins
une priorité historique : Hippolyte est le premier homme qui
lui ait plu (et sans doute le seul) à partir de la période où
elle se voulait « à l'amour opposée »[92].

Restent à préciser les caractères proprement raciniens
de l'amour. Le premier d'entre eux est d'être une valeur
absolue, qui ne peut être justifiée par aucune considération
rationnelle. Tout ce que l'on peut dire sur l'origine de
l'amour ne constitue en rien une cause. Chaque fois qu'un
personnage de Racine énumère les raisons qui devraient
vraisemblablement provoquer l'amour, on peut être sûr
qu'il se trompe, et que l'amour ne naîtra pas. Hermione
énumère sans fruit devant Cléone tous les facteurs qui
auraient dû assurer l'amour de Pyrrhus pour elle :

> Tu t'en souviens encor, tout conspirait pour lui :
> Ma famille vengée et les Grecs dans la joie,
> Nos vaisseaux tout chargés des dépouilles de Troie,
> Les exploits de son père effacés par les siens,
> Ses feux, que je croyais plus ardents que les miens,
> Mon cœur, toi-même enfin, de sa gloire ébloui,
> Avant qu'il me trahît, vous m'avez tous trahie[93].

Tout aussi vainement, Oreste fait la revue des raisons pour
lesquelles Hermione devrait l'aimer :

> O dieux, tant de respects, une amitié si tendre,
> Que de raisons pour moi, si vous pouviez m'entendre[94] !

Arsace, dans *Bérénice*, énumère semblablement devant Antiochus ce qu'il croit être des atouts :

> Tout parlera pour vous, le dépit, la vengeance,
> L'absence de Titus, le temps, votre présence,
> Trois sceptres que son bras ne peut seul soutenir,
> Vos deux Etats voisins qui cherchent à s'unir ;
> L'intérêt, la raison, l'amitié, tout vous lie[95].

92. Vers 433-436.
93. Vers 464-470.
94. Vers 545-546.
95. Vers 823-827.

Tout, sauf l'amour. Dégagé de toute causalité contraignante, ce sentiment est plus fort que le désir même de vivre. Iphigénie, non seulement le dit, mais le prouve. Elle déclare à Achille :

> Vous voyez de quel œil, et comme indifférente,
> J'ai reçu de ma mort la nouvelle sanglante.
> Je n'en ai point pâli. Que n'avez-vous pu voir
> A quel excès tantôt allait mon désespoir
> Quand, presque en arrivant, un récit peu fidèle
> M'a de votre inconstance annoncé la nouvelle!
> Quel trouble, quel torrent de mots injurieux
> Accusait à la fois les hommes et les dieux!
> Ah, que vous auriez vu, sans que je vous le die,
> De combien votre amour m'est plus cher que ma vie![96].

Elle revient sur cette idée au Ve acte : son père lui a ordonné de renoncer à son amour, et elle s'écrie :

> Dieux plus doux, vous n'avez demandé que ma vie![97].

Comment, dès lors, faire éclater la primauté de l'amour véritable dans des intrigues dramatiques qui, nécessairement, lui proposent des obstacles ? *Andromaque* apporte une première réponse. Les personnages constatent d'abord l'inutilité de la phraséologie galante. C'est en vain que Pyrrhus a demandé :

> Me cherchiez-vous, madame ?
> Un espoir si charmant me serait-il permis ?[98].

C'est en vain qu'il s'est décrit comme « vaincu, chargé de fers » et brûlé, ce qu'on n'a cessé de lui reprocher, de plus de feux qu'il n'en a allumés[99]. Alors, il change de ton. Au lieu de gémir et de « mourir » comme faisait l'amant précieux, il se révolte contre sa condition d'amoureux, et parle comme s'il n'aimait plus, tout en poursuivant, toutefois, le même

---

96. Vers 1033-1042.
97. Vers 1514.
98. Vers 258-259.
99. Vers 319-320.

but. Il met durement Andromaque en demeure de cesser
de tergiverser. Il va jusqu'à accepter de livrer Astyanax
et d'épouser Hermione. Les autres personnages changent
pareillement d'attitude. L'amour d'Oreste pour Hermione
devient un « courroux », et il décide, en l'oubliant, de
« punir tous ses mépris » :

> Je fis croire et je crus ma victoire certaine.
> Je pris tous mes transports pour des transports de haine.
> Détestant ses rigueurs, rabaissant ses attraits,
> Je défiais ses yeux de me troubler jamais[100].

De même Hermione, incapable de susciter l'amour de
Pyrrhus, décidera de le faire assassiner. Andromaque elle-
même renonce, au IIIe acte, à son « courroux »[101] et adopte
vis-à-vis de Pyrrhus une attitude qui peut laisser entrevoir
une solution.

Mais ces revirements ne sont que feinte. L'évidence de
l'amour ne peut pas longtemps se nier et doit finalement
être reconnue par celui qui l'éprouve. Une deuxième péripétie annule la précédente et Oreste dit :

> Mais l'ingrate en mon cœur reprit bientôt sa place.
> De mes feux mal éteints je reconnus la trace.
> Je sentis que ma haine allait finir son cours,
> Ou plutôt je sentis que je l'aimais toujours[102].

Pyrrhus regrettera sa dureté, comme le comprendra Phoenix
à la fin du IIe acte, et Hermione, qui n'a jamais voulu
vraiment la mort de Pyrrhus, accueillera Oreste avec son
« Qui te l'a dit ? ».

Ces violents changements transforment, en apparence ou
en réalité, l'amour en son contraire. La haine est partout
dans *Andromaque*. On peut y relever 27 emplois du mot
haine et 26 du mot courroux[103]. La haine apparaît dans
l'ensemble comme la face inauthentique de l'amour. C'est

---

100. Vers 51-56.
101. Vers 923.
102. Vers 85-88.
103. Source : la *Concordance*, naturellement.

surtout en Hermione que cette ambivalence est dénoncée. Elle s'écrie, pensant à Pyrrhus :

> Ah, je l'ai trop aimé pour ne le point haïr ![104]

Elle dit à Oreste :

> Ah, ne souhaitez pas le destin de Pyrrhus,
> Je vous haïrais trop.

Oreste réplique avec bon sens : « Vous m'en aimeriez plus »[105]. Il faudra pourtant que Pylade lui explique que le « courroux » d'Hermione contre Pyrrhus dissimule l'amour : « Jamais il ne fut plus aimé »[106]. Ces paroxysmes paradoxaux passeront d'*Andromaque* à *Bajazet* : Roxane faisant tuer Bajazet qu'elle aime, reproduit le geste d'Hermione faisant tuer Pyrrhus.

La démarche qui intègre la haine à l'amour en la dirigeant vers une action dramatique est la jalousie. Elle n'occupe en réalité qu'une place mineure dans *Andromaque* : Oreste n'est pas jaloux de Pyrrhus et Hermione n'en veut pas vraiment à Andromaque ; elle ne peut penser qu'à Pyrrhus. Ce ressort, qui remplace des revirements dramatiques par une action puissante et continue va occuper une place dans presque toutes les tragédies ultérieures de Racine jusqu'à *Phèdre*. Agrippine est jalouse de Junie ; et que cette jalousie ne soit pas, ou pas explicitement, sexuelle ne change rien à la violence de ses sentiments. Son vocabulaire dans la scène IV de l'acte III est celui d'une amante trahie : on lui donne une « rivale »[107], sa « place est occupée »[108], Junie « aura le pouvoir d'épouse et de maîtresse »[109]. Cette jalousie provoque en elle une exaspération qui l'entraîne aux pires erreurs. Dans *Bajazet*, la jalousie d'Atalide, incapable à la

104. Vers 416.
105. Vers 539-540.
106. Vers 747-748.
107. Vers 880.
108. Vers 882.
109. Vers 888.

fois d'accepter et de refuser la situation de Bajazet auprès
de Roxane, est le principal moteur de la pièce. Elle se dit
agitée « de mille soins jaloux »[110], elle ordonne en vain de
se taire à ses « sentiments trop jaloux »[111], elle appelle
Roxane sa « rivale »[112], elle s'élève contre la « perfide jalousie »[113] qui ne cesse de lui ronger le cœur. Au moment où
elle dit enfin la vérité à Roxane, c'est encore le mot
« jalouse »[114] qui revient sur ses lèvres et qui définit effectivement son attitude la plus constante.

Que Mithridate soit jaloux ne demande pas une longue
démonstration ; il a des raisons de l'être, et il l'est. Monime
est contrainte de jouer entre le roi et Xipharès un jeu
dangereux, semblable, par la situation des personnages, à
celui d'Atalide entre Bajazet et Roxane. Elle déclare, au
V⁰ acte :

> C'est moi qui les rendant l'un de l'autre jaloux,
> Vins allumer le feu qui les embrase tous[115].

Non moins évidente, dans un rapport différent entre les
personnages, est la jalousie d'Eriphile pour Iphigénie. C'est
pourquoi elle fait tout pour que la fiancée d'Achille soit
sacrifiée. La différence entre *Andromaque* et *Iphigénie* est
ici visible : Eriphile veut, fort consciemment, la mort
d'Iphigénie ; Oreste, qui est dans la même situation vis-à-vis
de Pyrrhus, ne veut pas vraiment la mort de ce roi ; il faut
qu'Hermione exerce sur lui une pression considérable pour
qu'il finisse par céder. Dans *Phèdre*, c'est à l'innocente
Aricie que revient la fonction d'éveiller en l'héroïne la
« jalouse rage »[116] sans laquelle la tragédie ne pouvait pas se
dénouer. Ainsi la jalousie, conséquence de l'amour, mais
d'un amour qui ne s'adresse pas à celui qui l'appelle, est-

---

110. Vers 682.
111. Vers 818.
112. Vers 965.
113. Vers 1150.
114. Vers 1595.
115. Vers 1489-1490.
116. Vers 1258.

elle partout jugée, et partout condamnée. Elle mène dans tous les cas à la catastrophe. Le jugement de Racine sur la jalousie est, avec des moyens profondément différents, aussi sévère que celui de Molière.

Est-ce à dire que l'amour, avec les conséquences tragiques qu'il entraîne, soit une force irrésistible et que le personnage ne puisse en aucune façon y échapper ? Racine ne le pense pas. Pour lui comme pour ses contemporains, il existe une arme efficace contre les dangers de l'amour : l'absence. Burrhus explique clairement à Néron ce qu'il faut faire pour « ne point s'entendre avec son ennemi » : l'empereur devrait consulter « la gloire » ; il devrait se rappeler les « vertus d'Octavie » et « son chaste amour » ; et surtout :

> Surtout si de Junie évitant la présence
> Vous condamniez vos yeux à quelques jours d'absence...

Et le gouverneur conclut :

> Croyez-moi, quelque amour qui semble vous charmer,
> On n'aime point, seigneur, si l'on ne veut aimer[117].

Même leçon dans *Bérénice*. Titus aime la reine parce que, pendant cinq ans, il n'a point cessé, chaque jour, de la voir. Ainsi son amour s'est-il nourri de lui-même :

> Je me suis fait un plaisir nécessaire
> De la voir chaque jour, de l'aimer, de lui plaire[118].

Pendant la même période, Antiochus n'a pas su s'imposer la cure d'absence qui l'aurait guéri. Il dit à Bérénice :

> Mes pleurs et mes soupirs vous suivaient en tous lieux[119].

Et lorsqu'elle lui impose « l'exil ou le silence »[120], il n'a pas le courage de choisir l'exil. C'est pourquoi il l'aime toujours.

117. Vers 781-790.
118. Vers 423-424.
119. Vers 202.
120. Vers 204.

Mais que le personnage puisse commander à son amour et y
mettre fin s'il le veut vraiment, c'est ce qui résulte de la
demande de Titus à Bérénice :

> Il en est temps. Forcez votre amour à se taire[121].

Cette demande serait absurde si Bérénice ne disposait
d'aucun moyen de forcer son amour à se taire. L'amour de
Phèdre pour Hippolyte, dont la violence n'est pas contestable, fluctue lui-même en fonction de la présence et de
l'absence. Le premier contact, à Athènes, a provoqué en
Phèdre une émotion profonde et durable. Après quelque
temps, Phèdre a réagi, et réagi par l'absence :

> Contre moi-même enfin j'osai me révolter :
> J'excitai mon courage à le persécuter.
> Pour bannir l'ennemi dont j'étais idolâtre,
> J'affectai les chagrins d'une injuste marâtre :
> Je pressai son exil...[122].

Cet exil, ce bannissement ont eu les conséquences que
Phèdre en espérait :

> Je respirais, Œnone, et, depuis son absence,
> Mes jours moins agités coulaient dans l'innocence...[123].

Malheureusement, l'imprudent Thésée a mené sa femme
à Trézène où se trouvait Hippolyte. Le résultat ne s'est pas
fait attendre :

> J'ai revu l'ennemi que j'avais éloigné :
> Ma blessure trop vive aussitôt a saigné[124].

Encore au IIIe acte, Œnone pousse Phèdre à chercher une
guérison qui reste possible. Il faut, dit-elle,

> Contre un ingrat qui plaît recourir à la fuite[125].

121. Vers 1051.
122. Vers 291-295.
123. Vers 297-298.
124. Vers 303-304.
125. Vers 757. Elle répète au vers 763 : Fuyez.

La description est donc d'une précision clinique : la présence
exalte l'amour, l'absence l'atténue et peut finir par le tuer.
Mais ces alternatives ne peuvent se développer que dans le
passé. Si le personnage tragique ne dispose, dans la France
du XVIIᵉ siècle, que d'une vie scénique de vingt-quatre
heures, il n'a pas le temps d'éprouver les bienfaits de
l'absence. Comme en même temps l'unité de lieu l'oblige
à rencontrer la personne qu'il voudrait fuir, l'amour a beau
être théoriquement évitable, il n'est en fait jamais évité. Par
cette perfidie des règles, le drame est transmué en cérémonie.
Dramatiques, certes, et susceptibles de traitements violents,
les duretés de l'amour, ses vains efforts pour se trouver une
légitimité, la frustration qui le situe au-dessus de la vie
sans laquelle il n'est rien, les haines, les jalousies, toutes les
catastrophes qu'il engendre. Mais ces orages sont codés et
intégrés à un ordre. Le pouvoir de l'amour résulte de
l'acceptation d'une esthétique et non d'une métaphysique
qui l'imposerait à la condition humaine, comme le veulent
nos critiques fatalistes. Cette esthétique dépasse les fadeurs
et les artifices de la tradition précieuse, cela va sans dire,
mais aussi les paroxysmes dramatiques de l'époque d'*Andromaque*. Elle leur substitue un tragique paradoxalement serein,
où l'homme est libre à l'intérieur d'un ordre rigoureux et où
l'amour qui broie les personnages est perçu par les spectateurs comme une cérémonie parfaitement ordonnée. La
fureur y devient ce que définit avec une mystérieuse simplicité la Préface de *Bérénice*, « cette tristesse majestueuse qui
fait tout le plaisir de la tragédie ».

La mégère

Certaines héroïnes raciniennes peuvent et doivent être
décrites comme des mégères, non point au sens où ce mot
désignait une Furie vengeresse dans la mythologie, mais en
un sens plus moderne et plus spécifique, qui commence à
apparaître au XVIIᵉ siècle et restera vivant jusqu'à aujourd'hui.
Une mégère est une femme qui peut avoir de bonnes ou de

mauvaises raisons de se plaindre ou d'attaquer autrui, mais dont en tout cas le comportement est constamment agressif ; elle n'est pas nécessairement méchante, bien qu'elle puisse l'être ; elle éprouve vis-à-vis de son entourage un sentiment de faiblesse ou d'infériorité, qu'elle n'avouera jamais, et contre lequel elle réagit avec violence par des moyens qui sont de l'ordre, non de la réalité, mais du discours. Cette image de la femme, peu flatteuse, est plus répandue qu'on ne croit dans un monde racinien qu'on a longtemps analysé en termes de douceur et de poésie. Elle ne concerne que les femmes (le mot mégère n'a pas de masculin), elle est indélébile (la mégère racinienne n'est jamais apprivoisée), et la relative fréquence de ses apparitions laisse supposer qu'aux yeux de Racine il est bien peu de femmes qui n'aient la vocation d'être mégères. C'est la conception du vieux garçon qu'était Racine à l'époque où il se consacrait à la composition dramatique.

Point de mégère dans toutes les pièces : dans la *Thébaïde*, dans *Esther*, le sujet n'en comporte pas ; dans *Bajazet*, si Roxane est redoutable et Atalide subtile, aucune des deux ne peut employer contre l'autre, dans cette lutte feutrée, l'arme des mégères ; dans *Mithridate*, la prépondérance masculine est exceptionnelle ; même Athalie, si elle est dangereuse et ne recule pas devant le crime, n'est pas une mégère. Par contre, ailleurs, on peut faire une assez ample moisson. Le type le plus pur de la mégère est Agrippine. Son problème politique n'est pas en cause : il s'accommoderait d'une autre attitude. Mais Agrippine parle sans cesse ; elle parle trop longuement et trop fort ; elle souffre constamment d'une véritable logorrhée, d'autant plus pénible pour ceux qui l'écoutent qu'elle parle sans agir, ce qui, en même temps qu'une faiblesse dissimulée par la violence, est une faute politique. Cette maladresse est soulignée dès sa première entrevue avec Burrhus. Son attaque est brutale :

Prétendez-vous longtemps me cacher l'empereur ?[126].

126. Vers 142.

Son ton est souvent outrancier et ses allusions presque insultantes, comme lorsqu'elle se définit ainsi :

> Moi, fille, femme, sœur et mère de vos maîtres ![127]

ou lorsqu'elle rappelle à Burrhus qu'il n'est qu'un « sujet »[128]. Fort peu diplomatique, sa tirade est d'autant plus déplacée que, comme elle l'implique elle-même, Burrhus a de l'influence sur Néron. Très vite, elle en vient à la menace :

> ... en me réduisant à la nécessité
> D'éprouver contre lui ma faible autorité,
> Il expose la sienne ; et... dans la balance
> Mon nom peut-être aura plus de poids qu'il ne pense[129].

Mais cette menace est fort peu efficace, parce qu'elle est conçue en termes très vagues et que l'analyse politique montre qu'Agrippine n'a pas vraiment les moyens de la mettre à exécution. Burrhus ne peut qu'en conclure qu'il est devenu impossible de discuter avec elle :

> Madame, je vois bien qu'il est temps de me taire[130].

Les mises en scène d'Agrippine comme mégère ont alternativement comme partenaire, ou comme spectateur, Burrhus et Néron. Au IIe acte, Néron se borne à imaginer la scène que lui ferait sa mère. Mais il la connaît si bien que son évocation a les mêmes couleurs que la réalité présentée au public par d'autres moments de la tragédie : Agrippine est « implacable »[131], elle est imaginée adressant à Néron des exhortations morales « d'un œil enflammé »[132], lui infligeant un « long récit » de ses « ingratitudes », ce qui sera pour lui un « fâcheux entretien »[133]. Cette scène imaginaire aura pour écho la scène vécue du IVe acte, dont le motif sera, non plus

127. Vers 156.
128. Vers 168.
129. Vers 257-260.
130. Vers 279.
131. Vers 483.
132. Vers 485.
133. Vers 488-489.

Octavie, mais l'Empire, et où l'image d'Agrippine vue par
son fils, mais aussi par le public, restera identique. Au
IIIe acte, c'est Burrhus qui, à nouveau, doit faire face à la
mégère. Il la met en garde, bien inutilement, contre les
« transports », les « menaces » et les « cris »[134]. Agrippine
ne peut s'exprimer sans recourir à ces violences verbales,
et elle le prouve immédiatement. Elle trace avec une volupté
sadique le tableau chimérique d'une situation où elle présen-
terait Britannicus à l'armée pour le faire couronner empereur, tout en discréditant Néron[135]. Même la confidente,
qui habituellement ne se permet pas de juger la maîtresse,
relèvera et condamnera à la scène suivante la dangereuse
outrance d'Agrippine. Burrhus à peine sorti, elle s'écriera :

> Dans quel emportement la douleur vous engage,
> Madame! L'empereur puisse-t-il l'ignorer!

Naturellement, l'empereur ne l'ignorera pas. Albine fait
de vains efforts pour calmer Agrippine :

> Madame, au nom des dieux, cachez votre colère[136].

Mais Agrippine est incorrigible. Sa colère reparaîtra, car
elle est objectivement présente, dans la grande scène d'explication avec Néron au IVe acte. L'empereur lui dit, non
sans raison :

> On vous voit de colère et de haine animée[137].

A bout d'arguments, elle met en scène, et cela aussi est un
comportement de mégère, le ressentiment que la conduite de
Néron a pu effectivement provoquer en elle. Elle va jusqu'aux pleurs, que suggère, sans les imposer, toute la fin
d'une longue tirade, à partir du moment où, s'attendrissant
sur elle-même, elle proclame :

> Vous êtes un ingrat, vous le fûtes toujours[138].

134. Vers 829 et 831.
135. Vers 839-854.
136. Vers 872-873 et 875.
137. Vers 1255.
138. Vers 1270.

L'image de la mère malheureuse brandie par la mégère infatigable entraîne la soumission accablée, et par là même provisoire, du fils. Après le meurtre de Britannicus, quand tous les faux semblants sont dépassés par la réalité, Agrippine transcende l'attitude de mégère. Ses reproches à Néron sont devenus de vrais reproches et sa malédiction prophétique est une vraie malédiction. Cette mégère poursuivant des buts égoïstes est devenue une Mégère poursuivant le crime.

Iphigénie montre bien comment les attributs de la mégère sont dans une large mesure indépendants des qualités morales de la personne. Eriphile est perfide et sa dénonciation est stigmatisée par Clytemnestre, qui l'appelle un monstre « que Mégère en ses flancs a porté »[139], mais elle n'est pas une mégère. Par contre Clytemnestre, qui a les meilleures raisons du monde de défendre sa fille, se conduit en mégère. Sa « fureur » est alléguée à plusieurs reprises[140]. Bien avant de connaître le projet de sacrifice, lorsqu'elle pense qu'Achille veut retarder son mariage avec Iphigénie, elle s'emporte contre ce héros avec une rapidité caractéristique : il est un « ingrat »[141] ; naguère tenu pour réellement « fils d'une déesse »[142], son refus le fait déchoir de cette aristocratique filiation :

> ... désormais son lâche repentir
> Dément le sang des dieux dont on le fait sortir[143].

Il n'est plus que « le dernier des hommes »[144]. Devant Agamemnon, l'emportement de Clytemnestre est naturellement bien pire. A peine a-t-elle pris la parole qu'elle lui jette à la figure le crime de son père et en imagine, avec une

---

139. Vers 1679.
140. Vers 147, 945, 1121, 1317.
141. Vers 639.
142. Vers 642.
143. Vers 643-644.
144. Vers 646.

parfaite mauvaise foi, la reproduction sous la forme horrible
du corps d'Iphigénie mangé par sa mère :

> Oui, vous êtes le sang d'Atrée et de Thyeste!
> Bourreau de votre fille, il ne vous reste enfin
> Que d'en faire à sa mère un horrible festin![145].

Elle perce les mobiles d'Agamemnon en les noircissant au
maximum, et chacun de ses mots sait être blessant :

> Cette soif de régner que rien ne peut éteindre,
> L'orgueil de voir vingt rois vous servir et vous craindre,
> Tous les droits de l'empire en vos mains confiés,
> Cruel! c'est à ces dieux que vous sacrifiez[146].

Il est rare qu'une cause si juste ait été défendue avec des
moyens si déplaisants.

L'origine de l'image de la mégère est dans les conflits
dramatiques qui opposent une femme à d'autres personnages. Dans *Alexandre*, Axiane est la première à saisir au
vol, et avec joie, à partir de conflits réels, la possibilité
d'humilier autrui. Sa contestation avec Cléofile tourne très
vite à l'aigre[147]. Elle jure à Taxile, qui l'aime, « une haine
immortelle »[148]. Elle parle avec une telle violence qu'on peut,
une fois qu'elle est partie, souligner « ce bouillant transport »
et « cet âpre courroux »[149]. Quand elle revoit Taxile,
qu'elle considère comme un « traître »[150], elle le traite,
avec une amère dérision, de « puissant roi » et de
« Grand monarque de l'Inde »[151], mais en réalité elle ne
voit en lui qu' « un esclave »[152]. La comtesse des *Plaideurs*
est la face comique de la mégère. Dès sa première réplique,

145. Vers 1250-1252.
146. Vers 1289-1292.
147. Acte III, scène 1.
148. Vers 770.
149. Vers 803 et 805.
150. Vers 1142.
151. Vers 1159-1160.
152. Vers 1178.

il apparaît que gronder est son occupation quotidienne[153], et son dynamisme absurde, mais toujours agressif, l'entraîne, non vers un approfondissement psychologique réservé à la tragédie, mais vers le rythme allègre qui caractérise la gestuelle de cette comédie.

Dans la tragédie, des femmes estimables et même attendrissantes ne laissent pas de conserver des traits de cette physionomie de mégère si constamment présente dans l'œuvre de Racine. Andromaque, avec le louable souci de défendre son fils, tient à Pyrrhus un discours toujours acerbe ; chacun des mots qu'elle lui adresse est un reproche. Malgré sa réserve et son habileté, elle le traite beaucoup plus durement que ne fera Hermione, moindre mégère. Pas plus qu'Andromaque, Bérénice n'est une élégiaque. Son amour pour Titus n'est pas de tout repos. En voici un aspect, rappelé par l'empereur lui-même :

> Encor, si quelquefois, un peu moins assidu,
> Je passe le moment où je suis attendu,
> Je la revois bientôt de pleurs toute trempée.
> Ma main à les sécher est longtemps occupée[154].

Lorsque Antiochus apprend à Bérénice que Titus la quitte, voici sa réaction :

> Non, je ne vous crois point, mais, quoi qu'il en puisse être,
> Pour jamais à mes yeux gardez-vous de paraître[155].

Il n'est pas jusqu'à Phèdre qui ne conserve un aspect de ce comportement. Elle n'est pas une mégère, mais elle est capable de jouer ce rôle, et elle l'a joué dans le passé, quand il le fallait :

> Pour bannir l'ennemi dont j'étais idolâtre,
> J'affectai les chagrins d'une injuste marâtre ;
> Je pressai son exil, et mes cris éternels
> L'arrachèrent du sein et des bras paternels[156].

153. Vers 189-192.
154. Vers 537-540.
155. Vers 915-916.
156. Vers 293-296.

Elle a raison de dire plus tard à Hippolyte :

> J'ai voulu te paraître odieuse, inhumaine[157].

Mais ce n'étaient que faux-semblants (j'affectai, paraître), rejetés dans le passé de la tragédie. Ce que le spectateur voit de Phèdre est toujours noble, même lorsqu'il s'agit d'envoyer Œnone à la mort.

Les fous

Oreste à la fin d'*Andromaque* sombre dans un véritable délire. Le juge Perrin Dandin est un fou caractérisé, que sa famille connaît comme tel et enferme du commencement à la fin de la comédie des *Plaideurs*. Ces deux cas appartenant à deux pièces consécutives et à tant d'égards si différentes l'une de l'autre avertissent que la folie a des chances d'être une dimension profonde du personnage racinien. Elle étend en tout cas son ombre sur toute la tragédie d'*Andromaque*, dont Oreste est le moteur. Celui-ci n'attend pas le Vᵉ acte pour présenter des comportements pathologiques. Il apparaît dès le début comme un fou mélancolique dont la torpeur est illuminée par une pulsion suicidaire constante. Pylade le lui dit bien :

> Surtout je redoutais cette mélancolie
> Où j'ai vu si longtemps votre âme ensevelie.
> Je craignais que le ciel, par un cruel secours,
> Ne vous offrît la mort que vous cherchiez toujours[158].

Cette aspiration à la mort est confirmée par Oreste lui-même : il ne sait s'il vient chercher en Epire « ou la vie ou la mort »[159] et dans ses voyages antérieurs, il a, sans succès, « mendié la mort chez des peuples cruels »[160]. Sa « fureur » est alléguée à plusieurs reprises, souvent par lui-même[161]. Elle alterne

137. Vers 685.
158. Vers 17-20.
159. Vers 28.
160. Vers 491.
161. Vers 47, 488, 726.

avec sa « mélancolie »[162], dont il sort parfois par un « triomphe »[163] illusoire et passager ; bref, il est cyclothymique. L'inauthenticité du projet politique de cet étrange ambassadeur entraîne une formulation délirante et purement passionnelle de ce qu'il envisage comme avenir immédiat :

> J'aime : je viens chercher Hermione en ces lieux,
> La fléchir, l'enlever, ou mourir à ses yeux[164].

Hermione comprend fort bien la folie d'Oreste et lui parle en vain, lors de leur première entrevue, le langage du bon sens :

> Songez à tous ces rois que vous représentez.
> Faut-il que d'un transport leur vengeance dépende ?
> Est-ce le sang d'Oreste enfin qu'on vous demande ?[165]

Au IIe acte, l'état d'Oreste, à qui Pyrrhus a dit qu'il épousait Hermione, s'est aggravé. Pylade lui dit :

> Je ne vous connais plus, vous n'êtes plus vous-même[166].

N'être plus soi-même, c'est être hors de soi, c'est être, au sens qu'avait ce mot au XVIIe siècle, un forcené, c'est avoir franchi un pas de plus dans la folie. Aussi Pylade lui parle-t-il comme à un fou, avec prudence[167]. Oreste renouvelle ses velléités suicidaires :

> C'est traîner trop longtemps ma vie et mon supplice ;
> Il faut que je l'enlève ou bien que je périsse[168].

Il reconnaît que sa « raison vient d'être confondue »[169]. Le choc qu'a été pour lui l'annonce du mariage de Pyrrhus

162. Vers 17.
163. Vers 83.
164. Vers 508-510.
165. Vers 508-510.
166. Vers 710.
167. Vers 709 et 716-724.
168. Vers 713 et 714.
169. Vers 730.

avec Hermione transforme l'aspiration au suicide en pulsion
de meurtre :

> Ah! plutôt cette main dans le sang du barbare...[170].

L'exaltation d'Oreste a des conséquences morales, métaphysiques et, naturellement aussi, politiques. C'est lui, et
non Néron, qui prononce ce vers redoutable :

> Mon innocence enfin commence à me peser[171].

La folie entraîne d'abord la violence, puis la perversion
morale, à partir de laquelle Oreste nie la bonté, et peut-être
l'existence, de la divinité :

> De quelque part sur moi que je tourne les yeux,
> Je ne vois que malheurs qui condamnent les dieux[172].

En outre, le projet d'Oreste s'est modifié, et le mot « enlèvement » a pour lui changé de sens : au début de la pièce, il
voulait persuader Hermione de partir volontairement avec
lui ; il s'agit maintenant de l'enlever de force.

La folie d'Oreste est contagieuse. Hermione, puis Pyrrhus entrent à sa suite dans le domaine de la « furie »[173].
Andromaque est-elle épargnée ? On pourrait estimer qu'en
un sens elle est folle de vivre si peu dans le présent et qu'elle
se réfugie sans cesse dans un passé obsessionnel. Amoureuse
de la mort, elle va consulter Hector sur son tombeau, et là,
elle reçoit une illumination. La solution que lui dicte sa
méditation nocturne, épouser Pyrrhus pour se tuer aussitôt,
peut paraître absurde, folle, invraisemblable par tous les cri-
tères, marquée au coin de la névrose. Pour elle, il ne s'agit
que d'un « innocent stratagème »[174] ! Pensant à la déception
et à la fureur de Pyrrhus si les choses se passaient ainsi,
on verrait plutôt là une gigantesque escroquerie au mariage...

---

170. Vers 733.
171. Vers 772.
172. Vers 775-776.
173. Vers 753 et 1042.
174. Vers 1097.

Devant le nouveau revirement de Pyrrhus, Hermione réagit par le silence et une apparente froideur[175] : c'est une attitude de schizophrène. Les hésitations d'Oreste l'en font sortir, et à son tour elle brandit l'arme du suicide :

> Je percerai le cœur que je n'ai pu toucher
> Et mes sanglantes mains, sur moi-même tournées,
> Aussitôt, malgré lui, joindront nos destinées[176].

C'est cette menace qui détermine Oreste à accepter le crime. Hermione se complaît à l'image délirante d'un Pyrrhus immolé par elle-même ; elle y revient avec délices :

> Quel plaisir de venger moi-même mon injure,
> De retirer mon bras teint du sang du parjure...[177].

Le début du Ve acte confirme son égarement et son « transport »[178]. Il confirme également Andromaque dans son obsession :

> Andromaque, au travers de mille cris de joie,
> Porte jusqu'aux autels le souvenir de Troie ;
> Incapable toujours d'aimer et de haïr,
> Sans joie et sans murmure elle semble obéir[179].

Le dénouement résulte nécessairement de ces multiples tensions. Le délire proprement dit d'Oreste ne dure que quelque vingt vers[180] et se termine par son évanouissement, mais il est d'une violence rarement égalée dans le théâtre français.

Autant et plus que le *Roi Lear*, *Andromaque* est le drame de la folie. Mais Racine, par la rigueur des mécanismes dramatiques, a rendu, non seulement croyables, mais inévitables, les démarches folles de ses personnages.

Comme *Andromaque*, mais naturellement dans un registre différent, les *Plaideurs* sont une histoire de fous. Les liens

---

175. Acte IV, scènes II et III.
176. Vers 1245-1248.
177. Vers 1261-1264.
178. Vers 1393-1394.
179. Vers 1437-1440.
180. Vers 1625-1644.

entre les deux pièces sont à la fois historiques et esthétiques. Le succès d'*Andromaque* déclencha une querelle à laquelle la troupe de Molière participa en jouant vingt-sept fois une médiocre comédie satirique contre Racine, *La folle querelle ou la critique d'Andromaque*, de Subligny. Racine voulut sans doute montrer en réponse qu'il pouvait, lui aussi, être auteur comique. La recherche du paroxysme qui marque *Andromaque* n'est pas moins visible, avec des tons comiques, dans les *Plaideurs*. Si les moqueries sur la justice sont un thème banal de comédie, elles n'en font pas moins écho au motif tragique de la culpabilité.

Le mot « fou » apparaît dès le premier vers des *Plaideurs* et la folie en fait l'action principale et le sujet essentiel. C'est une folie inscrite dans un cadre social réaliste et centrée sur l'administration de la justice. Le juge Dandin est un véritable fou, interné par sa famille dans sa propre maison. Sa folie consiste à vouloir juger sans arrêt. Son fils Léandre dit :

J'ai ma folie, hélas ! aussi bien que mon père[181].

C'est d'être amoureux d'une jeune fille pauvre. Chicanneau a sa folie : c'est de vouloir toujours plaider. La comtesse de Pimbêche a la même folie, et ces deux fous, après avoir sympathisé, se disputent et se traitent réciproquement de fous[182]. Petit Jean, puis Léandre constatent que la folie n'épargne personne[183]. Ses ravages sont rendus comiques, d'abord par le caractère dérisoire des litiges (dégâts dans un pré, procès d'un chien), puis par la passion qu'apportent les personnages à plaider, et enfin par l'inscription des conflits dans l'espace scénique. Dandin est enfermé chez lui, et une bonne partie du comique de sa situation vient de ce qu'il cherche toujours à s'échapper. A son image, Isabelle, dont le père est un autre fou, est aussi « en prison chez elle »[184]. Racine, comme il le dit d'Aristophane dans la

181. Vers 123.
182. Vers 276 et 277.
183. Vers 298 et 592.
184. Vers 144.

Préface, « a eu raison de pousser les choses au-delà du vraisemblable ».

Les autres œuvres de Racine font à la folie une place moins généreuse, sans pourtant la négliger. La situation d'Antiochus au IIIe acte de *Bérénice* est celle d'Oreste à la fin d'*Andromaque* : il est puni pour avoir obéi. Mais l'originalité d'Antiochus par rapport à ses prédécesseurs est d'être un amoureux qu'on n'aime pas et que sa déception ne pousse ni à la vengeance ni au désespoir. Il entraîne l'action dans une majestueuse lenteur, la rend triste et non violente. Cet avantage esthétique a peut-être pour rançon une atmosphère discrètement pathologique : Antiochus traverse toute la tragédie dans une sorte d'état dépressif. *Bajazet* est comme *Andromaque*, bien qu'à un moindre degré, une histoire de fous. Elle s'engage sur l'hypothèse de la défaite d'Amurat. Or la première scène montre bien que l'issue de la situation militaire est toujours douteuse et que tout dépendra de la victoire ou de la défaite du sultan. Rien n'indique qu'une de ces éventualités soit plus probable que l'autre. Acomat serait donc follement imprudent de parier dans ces conditions sur l'échec d'Amurat s'il n'y était pas déjà forcé par les préventions de celui-ci contre lui. Dans cette situation éprouvante, Atalide, qui sera en fin de compte la cause de la catastrophe finale, hérite, par sa jalousie meurtrière, de la fonction psychopathique d'Oreste et, dans une certaine mesure, du pessimisme constitutionnel d'Antiochus. D'ailleurs, certaines répliques de l'esclave Zaïre impliquent bien que le déséquilibre d'Atalide ne lui échappe pas. Devant un moment de dépression de celle-ci, elle dit sévèrement :

> Quoi, madame! Quelle est cette nouvelle alarme ?

Après un moment d'exaltation, aussi peu justifié que le précédent, elle dit avec autorité :

> Modérez-vous, de grâce[185].

185. Vers 805 et 841.

Il serait sans doute excessif d'appliquer sans distinction la désignation de « fou » à tous les personnages de Racine dont la conduite ou les paroles ne sont pas parfaitement rationnelles, bien que le mot « fou » se prête en français à des emplois nuancés. On peut envisager de lui substituer un autre mot, très courant dans la langue du XVIIe siècle et que Racine a employé dans sa querelle avec Nicole, celui de « visionnaire ». La querelle était d'ailleurs née des attaques contre Desmaretz de Saint-Sorlin, auteur, précisément, d'une comédie intitulée *Les Visionnaires*. Un visionnaire n'est pas un aliéné, mais un homme qui a des choses une vision particulière, que ses contemporains ne reconnaissent pas comme juste et qui le pousse à des actions inadaptées. Tel est Mithridate. Pénétrant et habile dans tout le reste, il se fonde sur ses fantasmes guerriers plus que sur une stratégie réaliste lorsqu'il expose ses « nobles projets »[186] d'expédition contre Rome. Il provoque d'ailleurs la « surprise »[187] de ses fils. Son plan a été critiqué avec précision par l'abbé du Bos, qui estime qu'il faudrait au moins dix jours, et non deux, pour parvenir jusqu'aux bouches du Danube, et au moins six mois, au lieu de trois, pour aller jusqu'à Rome[188]. En outre, le projet de Mithridate suppose que, chemin faisant, tous les peuples plus ou moins mécontents se joindront à lui contre les Romains. Ce n'est nullement certain. Prédire à une succession d'événements, tous aléatoires et dépendant les uns des autres, une conséquence toujours favorable, c'est une « vision ». Ce que prépare Mithridate est en quelque sorte une guerre picrocholine.

Visionnaire aussi, à ses heures, le bouillant Achille. Sous l'empire de la « fureur »[189], il s'imagine courant à l'autel pour le détruire et massacrant, entre autres victimes, Calchas

---

186. Vers 757.
187. Vers 787 et 863.
188. *Réflexions critiques sur la poésie et sur la peinture*, Première Partie, sect. 29.
189. Vers 1601.

et Agamemnon[190]. Visionnaire également, mais avec plus de constance l'héroïne de *Phèdre*. Œnone affirme :

> Un désordre éternel règne dans son esprit[191].

De fait, au premier acte, jusqu'au moment où elle laisse échapper l'aveu libérateur, elle se nourrit de rêveries morbides aux formes variées : le refus des vêtements, le Soleil, la forêt, Pasiphaé, Ariane...[192]. Au IIe acte, elle développe le fantasme d'Hippolyte devenu Thésée et descendant avec elle au Labyrinthe[193]. Au IVe, la découverte de l'amour d'Hippolyte pour Aricie provoque de nouvelles images délirantes : l'innocente jouissance de cet amour partagé[194] et le jugement de Phèdre par Minos[195]. Comme sa femme, Thésée possède une personnalité étrangement dissociée. A l'instar d'Hercule dont il est le successeur et qu'il évoque souvent[196], il est à la fois tueur de monstres, donc nettoyeur de l'univers, et faible envers les femmes. Son angoisse devant le comportement de Phèdre et son incapacité à comprendre la vérité le conduisent à un véritable égarement. Héritier d'Oreste, il proclame :

> Je ne sais où je vais, je ne sais où je suis[197].

Il s'imagine, dans un accès de folie, tuant son fils coupable[198]. Il lutte contre cette image qui le tente. Il retient, dit-il, « à peine » son « courroux ». Il appelle à son secours l'idée que ce meurtre souillerait « la gloire » de ses « nobles travaux ». Il menace toutefois son fils d'un « châtiment soudain ». Cette scène ne se joue que sur un théâtre imaginaire. Elle constitue pourtant un type de dénouement que la tragédie

190. Vers 1606-1612.
191. Vers 147.
192. Vers 158, 169-172, 176, 250, 253-254.
193. Vers 649-662.
194. Vers 1237-1240.
195. Vers 1277-1290.
196. Vers 454, 470, 943-944.
197. Vers 1004.
198. Vers 1055-1062.

grecque a réservé, avec des modifications dans le choix de la victime, à plusieurs de ses héros : Hercule, Ajax, Alcméon, Philoctète. Il est épargné à Thésée, qui tue néanmoins son fils par l'intermédiaire de Neptune.

B / LES DIEUX ACCUSÉS

La tragédie est le lieu normal de la mise en accusation des dieux. La *Critique de l'Ecole des Femmes* avait rudement défini le genre par le fait de « dire des injures aux Dieux »[199]. Mais ces Dieux, dans l'œuvre de Racine, ne sont pas toujours identifiables de façon précise. Il est des dieux anonymes, voire des sortes de dieux laïques, constitués par des forces, mauvaises certes, mais peu explicites. Le « destin » est l'une de ces forces. Une autre, dont le contenu religieux est mieux affirmé, mais toujours sans personnification, est le « Ciel ». Il peut renvoyer au Panthéon gréco-romain, comme lorsque Eriphile proclame dans *Iphigénie* :

> Le ciel s'est fait sans doute une joie inhumaine
> A rassembler sur moi tous les traits de sa haine[200].

Il ne peut renvoyer qu'au Dieu de l'Islam quand Atalide affirme dans *Bajazet* :

> Le ciel s'est déclaré contre mon artifice[201].

Et dans la bouche d'un Tartuffe il désigne nécessairement le Dieu du christianisme[202]. Si cette pluralité de contextes religieux provoque un malaise, on peut, à l'autre bout de l'éventail des explications possibles, trouver des substituts moins anthropomorphiques des dieux dans les grands événements de l'histoire, dans les révolutions décisives de la

---

199. MOLIÈRE, *Critique de l'Ecole des Femmes*, scène VI.
200. Vers 485-486.
201. Vers 353.
202. MOLIÈRE, *Tartuffe*, par exemple acte IV, scène I.

politique, dans toutes les péripéties tragiques que constatera la formule racinienne du « C'en est fait »[203]. L'événement, pourvu qu'il soit important et irréversible, joue le rôle d'un dieu dans des formes plus laïcisées de tragédie. A mi-chemin entre lui et le « ciel », habitacle hypocrite d'un dieu clandestin et changeant, se trouve la notion de « fortune », commode parce qu'elle suggère à la fois la contingence de l'événement et l'action cachée d'une puissance surnaturelle. L'Antiochus de *Bérénice* l'emploie deux fois en cinq vers, où il passe subrepticement de l'idée de hasard malheureux à celle de divinité redoutable. Il dit à Arsace :

> Mais d'un soin si cruel la fortune me joue,
> J'ai vu tous mes projets tant de fois démentis
> Que j'écoute en tremblant tout ce que tu me dis,
> Et mon cœur, prévenu d'une crainte importune,
> Croit, même en espérant, irriter la fortune[204].

Cette cruauté de la fortune résulte normalement de la constitution du tragique cérémoniel comme ambivalent. Si les dieux ne sont pas tout-puissants (or une partie de leur efficace est gommée par les autres mécanismes de la tragédie), ils sont coupables.

Quelle que soit la forme ou l'absence de forme des dieux, la première attitude racinienne à leur égard est la révolte. Le sujet de la *Thébaïde* a peut-être été choisi parce qu'il prête à cette révolte. Polynice accuse le « ciel » de tenir ouvertement « pour l'injustice » et d'être ainsi le « complice » des « criminels »[205] ; Jocaste reproche aux « dieux » de punir un « crime involontaire »[206]. Le ciel est « cruel » en ce qu'il donne à Jocaste « quelque espoir de paix » illusoire, pour la replonger aussitôt dans le malheur[207]. Mais toutes ces accusations restent sur le plan des idées, et ne parviennent pas à

---

203. Voir par exemple *Bajazet*, vers 941 et 1721.
204. Vers 1280-1284.
205. Vers 455-456.
206. Vers 603.
207. Vers 681-682.

l'incarnation dramatique. A la fin de la pièce, Créon, désespéré, dit aux « dieux cruels » :

> Un coup de foudre est tout ce que je veux de vous[208].

Mais il n'obtient pas ce coup de foudre, et Jupiter, qui pourrait l'exaucer, est muet. Tout au long du théâtre racinien, Jupiter restera le grand muet. Le sujet d'*Iphigénie* permettra de reprendre, avec plus d'énergie encore, le thème, essentiellement tragique, du ciel injuste. Agamemnon ne peut pas accepter l'oracle qui menace sa fille :

> Non, je ne croirai point, ô ciel! que ta justice
> Approuve la fureur de ce noir sacrifice :
> Tes oracles sans doute ont voulu m'éprouver,
> Et tu me punirais si j'osais l'achever[209].

Clytemnestre va jusqu'à l'indignation :

> Les dieux ordonneraient un meurtre abominable![210].

et plus loin :

> Le ciel, le juste ciel, par le meurtre honoré,
> Du sang de l'innocence est-il donc altéré ?[211].

La deuxième pièce de Racine apporte une idée tout à fait différente. A côté des dieux terribles qu'accuse une certaine tradition tragique, *Alexandre* propose le portrait idéalisé d'un homme que ses vertus transforment presque en dieu. Le dieu d'*Alexandre* n'est autre qu'Alexandre. La pièce entière chante sa générosité et sa grandeur d'âme, qu'imite, à un moindre degré, Porus. La description que Taxile fait de lui avant qu'il entre en scène détaille les éléments de son prestige : gloire, jeunesse, fierté, majesté, grandeur, et aussi bonté...[212]. Sauf l'immortalité, Alexandre a tous les attributs d'un dieu. Le processus de divinisation sera

208. Vers 1500 et 1504.
209. Vers 121-124.
210. Vers 921.
211. Vers 1267-1268.
212. Vers 813-824.

illustré à nouveau, mais de façon moins centrale, dans *Iphigénie*. Achille, fils d'une déesse, implique que les dieux, dont le pouvoir est réel, ne sont que des hommes qui ont réussi et que la voie de l'héroïsme, ouverte à tout homme, mène jusqu'à l'immortalité :

> Les dieux sont de nos jours les maîtres souverains ;
> Mais, seigneur, notre gloire est dans nos propres mains.
> Pourquoi nous tourmenter de leurs ordres suprêmes ?
> Ne songeons qu'à nous rendre immortels comme eux-mêmes,
> Et, laissant faire au sort, courons où la valeur
> Nous promet un destin aussi grand que le leur[213].

Cette théorie de la naissance des dieux paraît confirmée par d'autres passages de la même *Iphigénie* où il est suggéré que certains dieux n'existent pas vraiment et ne sont que l'hypostase de pulsions purement humaines. Par une interprétation psychologique hardie de la mythologie, Clytemnestre dit à son mari que son orgueil et son ambition sont les dieux auxquels il veut sacrifier Iphigénie[214] ; et Agamemnon côtoie la même idée lorsqu'il s'exclame :

> Ah! quels dieux me seraient plus cruels que moi-même ?[215]

La révolte contre les dieux est, pour la tragédie du temps de Racine, une attitude ancienne et banale. L'idée de l'origine humaine des dieux, qui a tenté Racine, ne permet pas d'aller bien loin, si du moins on veut conserver à la tragédie sa transcendance. Ses deux premières pièces ayant montré à Racine ces insuffisances, il a cherché dans les œuvres qui suivent à se passer des dieux. D'*Andromaque* à *Mithridate*, il connaît une période qu'on peut appeler laïque. Les dieux, que pourtant on invoque encore, y sont remplacés en fait par un réalisme exigeant. La Contre-Réforme avait attaqué avec violence le machiavélisme, parce qu'il lui paraissait incompatible avec l'ordre providentiel et sur-

213. Vers 259-264.
214. Vers 1289-1292.
215. Vers 1450.

naturel qu'elle défendait. Le Racine de la maturité a choisi
le machiavélisme.

Toutefois, dès *Bérénice*, apparaît un nouveau ressort
tragique, par lequel peut se réintroduire une transcendance
divine. La perversité tragique engendre, sur le plan dramatique, une contradiction, qu'on peut croire voulue par les
dieux, entre les souhaits du personnage et ses véritables intérêts, ou bien son avenir, qu'il ignore. A la fin du premier
acte de la tragédie, Bérénice va offrir ses vœux aux dieux
pour l' « empire heureux »[216] de Titus : en priant pour que
Titus soit aussi empereur que possible, elle appelle une
situation dont elle va être la première victime. La contradiction devient plus cruelle et plus paradoxale lorsqu'elle
se précise dans le détail du dialogue. Ignorant les angoisses
de Titus, Bérénice lui demande :

> Mais parliez-vous de moi quand je vous ai surpris ?
> Dans vos secrets discours étais-je intéressée,
> Seigneur ? étais-je au moins présente à la pensée ?[217]

Un peu plus loin, elle évoque sans le savoir la situation dont
frémit Titus :

> Moi dont vous connaissez le trouble et le tourment
> Quand vous ne me quittez que pour quelque moment,
> Moi qui mourrais le jour qu'on voudrait m'interdire
> De vous...[218].

Mais ces paradoxes verbaux résultent nécessairement de la
situation d'ensemble : Titus et Bérénice ne peuvent et ne
doivent parler que de leur amour, puisqu'ils n'ont pas
encore osé dire que celui-ci était désormais interdit. Les
deux tragédies suivantes reposent sur des contradictions
aussi essentielles : c'est parce qu'elle aime Bajazet qu'Atalide
provoque sa mort, et Mithridate, qui voulait tant vivre et
épouser Monime, ne réalise aucun de ces deux buts.

---

216. Vers 321-322.
217. Vers 582-584.
218. Vers 613-616.

Avec *Iphigénie*, c'est-à-dire lorsque Racine est délivré, par le renoncement de Corneille au théâtre, du modèle romain et machiavélique, la perversité dramatique s'épanouit sous différentes formes. Agamemnon l'éprouve amèrement dans son embarras lors de l'arrivée de sa fille, à qui il ne peut que dire, parlant du sacrifice : « Vous y serez, ma fille »[219]. Eriphile l'éprouve sans le savoir, en disant à sa confidente, à propos d'Iphigénie :

> Tu verras que les dieux n'ont dicté cet oracle
> Que pour croître à la fois sa gloire et mon tourment...[220].

Elle n'a que trop raison. Iphigénie fait prévoir au spectateur la matière tragique qui était celle de l'*Agamemnon* d'Eschyle lorsqu'elle dit à sa mère :

> Ne reprochez jamais mon trépas à mon père[221].

Une autre tragédie, celle d'Oreste parricide, est évoquée lorsque Iphigénie veut consoler sa mère par ces mots :

> Vos yeux me reverront dans Oreste mon frère.
> Puisse-t-il être, hélas! moins funeste à sa mère![222].

Le dieu capable d'évoquer des drames futurs ne peut être ici que l'auteur de la pièce. Quant aux dieux mythologiques dont le personnel se regroupe avec *Iphigénie*, ils ont acquis, par leur goût de la perversité, une dimension nouvelle. Ils méritaient depuis toujours l'épithète racinienne de *cruel*. Grâce à leur subtilité à tromper les faibles mortels, ils en méritent maintenant une autre, non moins racinienne : celle de *perfide*.

Perfide certes est cette Diane qui semble menacer Iphigénie pour frapper Eriphile. Toutefois la tragédie d'*Iphigénie* n'assume pas encore totalement la personnification des divinités. Diane n'y est introduite que de façon indirecte et quasi

219. Vers 578.
220. Vers 1110-1111.
221. Vers 1654.
222. Vers 1661-1662.

hésitante. Devant le miracle de l'arrêt des vents, Agamemnon
tourne les yeux :

> Vers la divinité qu'on adore en ces lieux[223]

dont il ne dit pas qu'elle s'appelle Diane. L'oracle rendu en
réponse est prononcé au nom de Diane, mais non par Diane.
Agamemnon est ensuite tourmenté par des songes, que lui
envoient les « dieux »[224] anonymes. Le sacrifice final est tout
aussi impersonnel. Calchas invoque

> Le dieu qui maintenant vous parle par ma voix[225]

et ce dieu, masculin, est celui qui avait rendu l'oracle du
début. Il explique que la victime voulue est Eriphile :

> Et c'est elle, en un mot, que demandent les dieux[226].

Point davantage de nom de dieu dans le miracle qui suit
immédiatement le suicide d'Eriphile :

> Les dieux font sur l'autel entendre le tonnerre[227].

Seul le « soldat étonné »[228] croit avoir vu Diane, en une
fugitive apparition.

Phèdre est la première, et aussi la dernière, des tragédies
de Racine où des dieux nommément désignés et clairement
différenciés jouent un rôle important, par des actions au
moins aussi efficaces que celles qui résultent des volontés
humaines des personnages. A vrai dire, les dieux sont enfin
devenus des personnages. Ils existent, sur le plan dramatique
et, plus encore, tragique, tout autant que les humains. Ce
n'est pas une des moindres originalités de cette tragédie
que d'avoir pleinement réalisé la théâtralisation des dieux.

Parvenus à la pleine lumière, les dieux révèlent leur vrai

---

223. Vers 52.
224. Vers 83.
225. Vers 1747.
226. Vers 1760.
227. Vers 1778.
228. Vers 1785.

visage, et ce visage est horrible. Les accusations diffuses portées contre eux dans les tragédies antérieures aboutissent ici à une condamnation sans réplique. C'est surtout à propos de *Phèdre* que les dénonciations de la divinité proposées par certains critiques paraissent justifiées. M. Butor estime que l'un « des thèmes fondamentaux du théâtre racinien... est la haine des dieux »[229]. M. Butler précise : « Le Dieu de *Phèdre* sanctifie des obligations qu'il oblige ses victimes à transgresser. Etranger à toute morale, il s'érige en gardien de la loi morale. Il n'est plus qu'un mortel traquenard, un chaos qui se prétend ordre, une atroce confusion qui exige le respect et l'adoration »[230]. Cette description ne peut manquer d'évoquer un personnage aussi puissant qu'un dieu dans le théâtre antérieur de Racine : Néron. Le Dieu de *Phèdre* se conduit comme Néron. Comme Néron, il est un monstre, et le rapport dialectique qui sous-tend les relations entre les hommes et ces sous-hommes que sont, sous le signe du monstre, les animaux, joue exactement de la même façon entre les hommes et ces sur-hommes que sont les dieux. Il ne faut pas reculer devant l'affirmation générale qui est une des clefs du théâtre racinien : les dieux sont des monstres.

Les dieux nommés ou suggérés dans *Phèdre* ne sont toutefois pas tous monstrueux, mais précisément Racine a pris soin d'éliminer de l'action de sa tragédie, tout en conservant leur rayonnement poétique, les divinités qui auraient pu apporter quelque équilibre contre-balançant les forces mauvaises, ou quelque moralité. De ces divinités réduites à la constatation et n'agissant pas, la plus importante est le Soleil. La tradition antique fournissait un moyen, que Racine a refusé, de rattacher le Soleil à l'intrigue de *Phèdre*. Parcourant chaque jour l'Univers, le Soleil voit tout ; il peut tout observer, il est l'œil universel ; rien sur terre ni dans les airs ne peut lui échapper. Pour éviter son contrôle, il faut s'enfermer dans un palais voûté, comme

229. Racine et les dieux, dans *Répertoire I*, p. 29.
230. *Classicisme et baroque dans l'œuvre de Racine*, p. 264.

Phèdre, aller jusqu'aux Enfers, comme on croit que l'a fait
Thésée, ou bien situer ses exercices dans une profonde forêt,
comme Hippolyte. Or, dans son parcours quotidien, le
Soleil a surpris un jour les amours illégitimes de Vénus avec
Mars. Les autres dieux se sont beaucoup moqués du couple
adultère, et c'est pour se venger que Vénus a persécuté les
descendants du Soleil, en particulier sa fille Pasiphaé et sa
petite-fille Phèdre. Racine a dû juger ce récit peu conforme
aux bienséances tragiques de son temps et a préféré que la
haine de Vénus pour Phèdre reste sans motivation. Mais il a
conservé l'idée du Soleil comme surveillant universel.
C'est en se référant à cette fonction que Thésée dit à son
fils :

> Prends garde que jamais l'astre qui nous éclaire
> Ne te voie en ces lieux mettre un pied téméraire[231].

Dans l'ordre universel, le Soleil exerce une fonction, non de
justice, mais de police. Il constate les crimes, mais ne les
juge pas. Ce sont les autres dieux qui devraient rendre la
justice ; malheureusement, ils rendent plutôt l'injustice. De
la tradition solaire, Racine conserve encore l'opposition
entre ce que le Soleil peut voir et qui est innocent, et ce qui
lui est caché, et supposé blâmable. Tel est le sens du
contraste qu'établit Phèdre entre l'amour pur et naturel
d'Hippolyte et d'Aricie, et son propre sentiment, qu'elle
condamne :

> Hélas ! ils se voyaient avec pleine licence ;
> Le ciel de leurs soupirs approuvait l'innocence ;
> Ils suivaient sans remords leur penchant amoureux ;
> Tous les jours se levaient clairs et sereins pour eux ;
> Et moi, triste rebut de la nature entière,
> Je me cachais au jour, je fuyais la lumière...[232].

Le dieu qui rend la justice, le dieu qui devrait intervenir
pour redresser l'univers tragique, est Jupiter. Or Jupiter est

231. Vers 1061-1062.
232. Vers 1237-1242.

étrangement absent de *Phèdre*. Il n'est invoqué que rarement, et dans des conditions qui soulignent plutôt son inefficacité. Sa descendante Phèdre réfléchit amèrement sur l'héritage qu'elle laissera à ses enfants et considère que Jupiter y pèse moins que son propre crime :

> Le sang de Jupiter doit enfler leur courage,
> Mais, quelque juste orgueil qu'inspire un sang si beau,
> Le crime d'une mère est un pesant fardeau[233].

Œnone, lorsqu'elle refuse avec horreur la honte de Phèdre, évoque en termes lointains la foudre de Jupiter :

> Ah ! que plutôt du ciel la flamme me dévore![234].

Mais Jupiter ne se dérangera pas pour une simple Œnone, et c'est Neptune qui dévorera cette confidente trop zélée. Quand Thésée à son tour fait allusion au tonnerre de Jupiter, disant à son fils :

> Monstre qu'a trop longtemps épargné le tonnerre[235],

c'est pour souligner une fois de plus que Jupiter n'a rien fait. Une autre absence remarquable parmi les divinités actives de *Phèdre* est celle de Minerve. A la fois déesse d'Athènes et déesse de la sagesse, elle devrait protéger Thésée, roi d'Athènes, et sa famille. Or elle n'est représentée dans la pièce que par la mention rapide des « superbes remparts »[236] d'Athènes qu'elle a bâtis ; encore ne peut-elle conserver ces remparts à leurs propriétaires légitimes, puisque Hippolyte veut les donner à Aricie.

Reste que chacun des quatre personnages principaux est flanqué d'un dieu qui, d'une manière ou d'une autre, causera sa perte. Les confidents, quels que soient le développement et l'originalité exceptionnels d'un Théramène et d'une Œnone, n'ont pas droit à un dieu propre ; le seul auquel ils

233. Vers 862-864.
234. Vers 881.
235. Vers 1045.
236. Vers 360.

soient confrontés est Neptune, qui est le dieu de leur maître
Thésée. La relation entre Thésée et Neptune est fondée sur
le nettoyage des rivages. Certains mythologues en ont
conclu que Thésée était fils de Neptune, voire qu'il était
une sorte de dieu marin. Phèdre explique elle-même sa
relation avec Vénus dès qu'elle peut donner un exposé suivi
de sa situation. La malédiction de Vénus est héréditaire :
elle poursuit un « sang »[237], c'est-à-dire une succession de
générations. Pour tenter de détourner sa haine, Phèdre lui
a bâti un temple ; mais elle n'échappe pas à l'amour que
Vénus lui inspire. Diane est, depuis Euripide, l'antagoniste
de Vénus et la patronne d'Hippolyte. Mais, dans la mesure
où Racine prête au jeune homme un amour qui aspire au
mariage, il doit adjoindre Junon à Diane. C'est pourquoi,
lorsqu'il donne rendez-vous à Aricie dans le « temple sacré
formidable aux parjures »[238], il dit qu'il y invoquera tout
spécialement « la chaste Diane et l'auguste Junon »[239]. Aricie,
qui lie son sort à celui d'Hippolyte, dépend naturellement
des deux mêmes déesses. Cette structure, par laquelle chacun
des personnages principaux se situe dans la mouvance d'une
divinité, est une structure épique. C'est celle de l'*Iliade*.
Mais il s'agit ici d'une *Iliade* infernale, ou inversée, parce
que, bien loin d'étendre une protection qui serait méritée,
les quatre divinités trompent systématiquement les quatre
personnages qui les adorent.

C'est évident pour Neptune. Le thème du vœu imprudent sert jusque dans le folklore à dénoncer la perfidie des
dieux. Ici, la clairvoyante Aricie l'explique en vain à Thésée :

> Craignez, seigneur, craignez que le ciel rigoureux
> Ne vous haïsse assez pour exaucer vos vœux.
> Souvent dans sa colère il reçoit nos victimes ;
> Ses présents sont souvent la peine de nos crimes[240].

237. Vers 278.
238. Vers 1394.
239. Vers 1404.
240. Vers 1435-1438.

Et le dernier cri de Thésée lui-même avant le dénouement montre qu'il a enfin percé, mais trop tard, le jeu cruel des dieux. Il dit à Neptune :

Ne précipite point tes funestes bienfaits[241].

Mais ces apparents bienfaits sont à la fois funestes et précipités.

L'attitude de Vénus peut paraître plus franche : Phèdre sait qu'elle est son ennemie. Toutefois, la courte scène II de l'acte III introduit un mouvement de perversité qui n'était point inscrit dans les données du drame et montre une Phèdre aveuglée plaidant contre ses propres intérêts. Elle supplie Vénus de rendre Hippolyte sensible à l'amour. Paradoxalement, Vénus l'exauce de la façon la plus cruelle : elle inspire de l'amour à Hippolyte, mais pour Aricie. La méprise de Phèdre devant Vénus est donc tout à fait parallèle à celle de Thésée devant Neptune.

Diane, déjà compromise dans la tragédie précédente, qui se terminait par la mort d'une jeune fille innocente, intervient dans *Phèdre* contre son adorateur Hippolyte par l'intermédiaire des chevaux. Certes, les chevaux sont ambivalents et appartiennent aussi, pour partie, à Neptune, puisque « Rendre docile au frein un coursier indompté » est un « art par Neptune inventé »[242]. Mais ils sont essentiellement l'instrument de la chasse, activité par laquelle Hippolyte rend hommage à Diane. Pourquoi faut-il que son amour pour Aricie amène Hippolyte à négliger ses chevaux qui, au moment du danger, ne lui obéissent plus ? Une déesse reconnaissante n'aurait-elle pas averti son adorateur ? Diane fait preuve ici d'une grande dureté de cœur, et est en tout cas coupable de non-assistance à personne en danger.

Junon, déesse du mariage, permet tout à Thésée, naguère mari infidèle et dont la conduite pendant l'étrange voyage en Epire est interprétable par des hypothèses troublantes :

241. Vers 1483.
242. Vers 131-132.

a-t-il violé Proserpine ? a-t-il eu des relations homosexuelles
avec Pirithoüs ? Les spectateurs d'une tragédie constamment bienséante n'obtiendront pas de réponses à ces questions, qui ne semblent pas troubler Junon. Cette déesse, par contre, récompense bien mal l'orthodoxie conjugale des deux femmes de la pièce. Phèdre a beau se tourmenter jusqu'à la mort et s'accuser avec une violence que ne partage aucun autre personnage, elle reste en fait une épouse fidèle. Elle souligne à juste titre :

> Hélas ! du crime affreux dont la honte me suit
> Jamais mon triste cœur n'a recueilli le fruit[243].

Que dire d'Aricie ? C'est parce qu'elle a voulu se marier, donc obéir à Junon, qu'elle ouvre la porte à la catastrophe. Pour vaincre ses scrupules et lui proposer un mariage régulier, Hippolyte lui donne rendez-vous au temple qui est entouré par les tombeaux royaux[244]. Or cet endroit est au bord de la mer : quand les chevaux qui ont tué Hippolyte se calment, raconte Théramène,

> Ils s'arrêtent non loin de ces tombeaux antiques
> Où des rois ses aïeux sont les froides reliques[245].

Par respect pour Junon, les deux jeunes gens ont suivi un itinéraire accessible au monstre marin. Une solution non tragique aurait été possible, et d'autant plus vraisemblable qu'Hippolyte, connaissant le vœu de son père à Neptune puisqu'il a été fait devant lui, savait que le danger venait de la mer : c'était de fuir, sans se marier immédiatement, vers l'intérieur des terres. Pratiquement réalisable et raisonnable, cette perspective est néanmoins aussi inacceptable dans l'éthique tragique que, pour Titus, celle d'abandonner l'empire et d'aller soupirer avec Bérénice au bout de l'univers[246].

243. Vers 1291-1292.
244. Vers 1392-1394.
245. Vers 1553-1554.
246. *Bérénice*, vers 1399-1402.

On s'attendrait à ce que l'attaque contre les dieux qui culmine dans *Phèdre* ne se prolonge pas au-delà de cette dernière tragédie profane. Pour un auteur chrétien, ou même indifférent, les dieux païens peuvent être impunément accusés, puisqu'ils n'existent pas. En sera-t-il de même dans une tragédie biblique ? Si Dieu ne joue guère de rôle manifeste dans *Esther*, il est dans *Athalie* un personnage au moins aussi important que Neptune dans *Phèdre*, et son action a été jugée par la critique avec autant de sévérité que celle des dieux de l'Olympe. Ainsi, par exemple, M. Butor : « Il apparaît dans toute cette pièce comme un dieu singulièrement cruel, singulièrement sanguinaire et retors. Toutes les ruses lui sont bonnes, trompant son ennemie par les bons sentiments même qu'il lui envoie »[247]. Comment concilier la sincérité religieuse de Racine avec un tel traitement dramatique, qui aurait été évitable et qui a été choisi ?

La perfidie des dieux de *Phèdre* a dégagé un modèle dramatique singulièrement puissant. Du fait que la bonne foi des hommes est trompée par la malice divine, l'emploi théâtral des dieux, qui ne sera codifié qu'au XIXe siècle, est celui de traître. Pour dénouer ses tragédies religieuses, Racine n'avait guère le choix qu'entre le miracle et le traître. Le miracle n'est pas admissible pour le public de Saint-Cyr, qui est religieux, mais mondain : il ne peut oublier, sous couleur de religion, les acquisitions réalistes de la dramaturgie classique. Au reste, le vrai Dieu a la même répugnance que Jupiter à lancer la foudre. L'emploi de traître, non seulement est disponible pour provoquer la chute du méchant, mais permet une heureuse inversion morale. Au lieu de jouer, tragiquement, contre les hommes de bonne foi, la traîtrise divine permet de venir à bout d'un Aman ou d'une Athalie, là où les moyens purement humains auraient sans doute échoué.

247. *Op. cit.*, p. 59.

C / LES ANIMAUX ET LES MONSTRES

A première vue, le théâtre de Racine ne paraît guère propre à des évocations animales. Il n'a que faire du pittoresque. Les sources d'*Alexandre* mentionnaient que l'armée du roi indien Porus comprenait des éléphants. Le frontispice de l'édition de 1676 ne s'est pas refusé le plaisir de représenter un de ces animaux, mais aucun éléphant ne passe dans le texte de la tragédie. A peine si l'on apprend incidemment, dans *Iphigénie*, que la dureté d'Achille s'explique par une éducation quasi animale : ce héros,

> Si l'on nous fait un fidèle discours,
> Suça même le sang des lions et des ours[248].

Encore cette incursion dans l'animalité n'est-elle présentée que comme un on-dit, qu'Eriphile, qui le rapporte, ne prend pas tout à fait à son compte. Pourtant, deux pièces de Racine font, avec des buts très différents, une place étonnamment large aux animaux. Ce sont les *Plaideurs* et *Phèdre*.

Le thème des *Plaideurs* n'exigeait nullement que les animaux y soient nombreux. Or une dizaine de bêtes y sont mentionnées, sans compter, bien entendu, le lièvre métaphorique d'un proverbe : « On ne court pas deux lièvres à la fois »[249]. Dandin fait couper la tête de son coq[250]. Chicanneau fait porter trois lapins de garenne à son procureur[251]. Le héros de son récit à la comtesse est un ânon[252] qui fait du dommage dans son pré. L'affaire se complique par l'intrusion de la « volaille »[253] dans ce même pré. On détermine la quantité de foin « que peut manger une poule

248. Vers 1099-1100.
249. Vers 698.
250. Vers 35.
251. Vers 168-169.
252. Vers 202.
253. Vers 216.

en un jour »[254]. Dandin apparaissant sur le toit, Petit Jean commente ironiquement, en disant qu'il va « juger les chats »[255]. A la fin du deuxième acte commence l'action qui emplira presque toute la fin de la comédie, et il s'agit d'un procès animal : le chien a mangé un chapon[256], et ce chien et ce chapon seront rappelés à de très nombreuses reprises[257], même en latin[258]. Le Souffleur traite Petit Jean de « cheval »[259], et cet animal s'introduit indûment dans la plaidoirie hésitante de l'avocat improvisé. Tous ces animaux s'expliquent sans doute par la localisation en Basse-Normandie, et celle-ci à son tour peut avoir été choisie parce que Racine se souvenait sans déplaisir de ses contacts anciens avec la campagne : ni La Ferté-Milon, ni Port-Royal-des-Champs, ni Uzès ne sont bien loin des animaux. Il s'en faut de beaucoup, toutefois, que les bêtes des *Plaideurs* alimentent une rêverie poétique comme celle que crée La Fontaine vers la même époque : l'année 1668 voit à la fois la publication du premier recueil des *Fables* et la création des *Plaideurs*. Mais le seul prolongement que les animaux procurent aux *Plaideurs* est d'ordre scénique et comique, non poétique : il est constitué par le spectacle des petits chiens, qui « ont pissé partout »[260]. Racine utilise surtout les animaux dans sa comédie pour souligner le caractère dérisoire des conflits qui opposent les hommes entre eux. Toutefois, trois de ses esquisses animales ont une fonction qui, dans un autre contexte, pourrait être tragique : ils sont coupables. Le coq a chanté trop tard ; pour le punir, on lui coupe la tête. L'ânon a fait des dégâts dans le pré de Chicanneau ; un long procès en résulte. Surtout, le chien, ayant mangé un chapon, a introduit le crime dans le monde animal lui-

254. Vers 218.
255. Vers 518.
256. Vers 622.
257. Vers 690, 702, 710, 711, 712, 721, 746, 755, 756, 779, 781, 785 et s., 815 et 881.
258. Vers 776-777.
259. Vers 701.
260. Vers 818-826.

même ; son procès est mis en scène et se termine presque
par sa condamnation aux galères[261]. Naturellement, il s'agit
de culpabilité pour rire, et ces animaux ne sont qu'un aimable
décor.

Il en va tout autrement avec *Phèdre*. Le bestiaire de cette
tragédie est d'une richesse exceptionnelle, et il contribue
efficacement à la signification du tragique. Les animaux n'y
sont pas volontiers désignés par leur nom. Les chevaux
d'Hippolyte, qui jouent pourtant dans l'intrigue un rôle
décisif, ne sont d'abord évoqués que par de discrètes allusions : Hippolyte fait « voler un char sur le rivage »[262] et
ce char est certainement tiré par un ou plusieurs chevaux.
Il pousse des « cris » dans les « forêts »[263], sans doute à
l'occasion d'une chasse[264], qu'il mène plus vraisemblablement à cheval qu'à pied. Entre ces deux activités, il travaille
aussi à domestiquer les chevaux, à

Rendre docile au frein un coursier indompté[265].

Les autres animaux évoqués dans *Phèdre* sont redoutables. Le fait qu'Hippolyte soit rebelle à l'amour le fait
comparer à un « tigre »[266]. Le tyran d'Epire est entouré par
des chiens, ou peut-être par des loups, que le texte ne désigne
que par le terme générique de « monstres »[267]. La notion
de monstre établit constamment, dans l'univers imaginaire
de *Phèdre*, une équivalence poétique inquiétante, et presque
un passage, entre les animaux et les hommes. Tout animal
est un monstre en puissance : ainsi ceux qui entourent le
tyran d'Epire et qui, sous le nom de « chiens dévorants »,
reparaîtront dans le songe d'*Athalie*[268] ; ainsi les chevaux
d'Hippolyte, qui deviendront assassins de leur maître ;

261. Vers 815.
262. Vers 130.
263. Vers 133.
264. C'est ce que confirment les vers 933 934.
265. Vers 132.
266. Vers 1222.
267. Vers 963 et 970.
268. *Athalie*, vers 506.

ainsi encore le monstre marin. Sa monstruosité est marquée par deux caractères que le récit décrit successivement. Le premier est son énormité. Déjà le « cri » qui l'annonce est « effroyable »[269] ; puis une véritable « montagne humide » qui le cachait s'élève « à gros bouillons » et le fait voir parmi des « flots d'écume »[270]. En second lieu, et c'est ce qui définit proprement un « monstre », cet animal est de nature composite. Il a des « cornes », comme un « indomptable taureau », mais aussi des « écailles », comme un « dragon impétueux »[271]. Il réunit en lui, ce que la nature ne fait pas normalement, les caractères des bêtes les plus dangereuses de la terre et de la mer.

Si tous les animaux de *Phèdre* ont vocation à la monstruosité, inversement, tout monstre moral, du fait qu'il renie l'humanité, tombe dans l'animalité. C'est sans doute ainsi qu'il faut interpréter les brigands punis par Thésée, qu'énumère Hippolyte[272]. Par contre, en raison de l'équivalence entre monstruosité et animalité, il n'est pas utile de faire appel à des figures hybrides entre l'homme et l'animal : le Minotaure n'est évoqué que deux fois[273], brièvement, dans *Phèdre* et l'une de ces allusions ne concerne que son cadavre, ce qui le constitue en victime plus qu'en monstre.

Une relation essentielle, non dans l'action, mais dans la poétique sous-jacente de *Phèdre* est donc celle qui s'instaure entre les hommes et les animaux. C'est une relation de guerre qui s'exprime par la chasse. La notion de monstre peut colorer les deux camps ennemis : les animaux sont des monstres, et les chasseurs peuvent être monstrueux ou vertueux. Thésée est un bon chasseur. Il a accumulé

Les monstres étouffés et les brigands punis[274],

269. Vers 1507.
270. Vers 1514-1516.
271. Vers 1517-1519.
272. Vers 80-81.
273. Vers 82 et 649.
274. Vers 79.

mettant sur le même plan les animaux dangereux et les hommes criminels. Par là, il est un héros civilisateur et son travail de nettoyage de l'univers porte en particulier sur les zones littorales qui, nombreuses en Grèce, sont, à l'époque archaïque, les lieux économiquement les plus importants. Son fils lui dit :

> Vous aviez des deux mers assuré les rivages.
> Le libre voyageur ne craignait plus d'outrages[275].

C'est parce que Thésée a ainsi assuré la liberté de la navigation que Neptune, reconnaissant, lui a accordé la protection qui amènera le dénouement de la tragédie. La mère d'Hippolyte, Antiope, est une Amazone, donc, essentiellement aussi, une chasseresse. L'activité principale des deux parents d'Hippolyte est de tuer des animaux. Il n'est donc pas étonnant que leur fils hérite de cette occupation et qu'il aspire à devenir lui aussi, comme son père et comme Hercule, un tueur de monstres. Il a commencé par montrer son adresse sur de « vils ennemis »[276], c'est-à-dire des animaux ordinaires ; il voudrait maintenant s'attaquer au « tyran » et au « monstre »[277].

Par le jeu des passions, le caractère monstrueux passe des animaux ou des « brigands » aux personnages de la tragédie. Dans un monde où le monstrueux est partout, le seul moyen pour Hippolyte d'affirmer son humanité est de proclamer bien haut qu'il n'est pas issu d'un monstre :

> Croit-on que dans ses flancs un monstre m'ait porté ?[278]

Inversement, Phèdre, deux fois à deux vers d'intervalle, se déclare « monstre »[279]. Quand le retour de Thésée est annoncé, Hippolyte devient un monstre pour Phèdre[280].

---

275. Vers 941-942.
276. Vers 934.
277. Vers 938.
278. Vers 520.
279. Vers 701 et 703.
280. Vers 884.

Quand Thésée croit Hippolyte criminel, il rapproche explicitement son fils des brigands qu'il a punis, et la notion
fondamentale de monstre trouve ici un emploi quasi logique.
Thésée appelle Hippolyte

> Monstre qu'a trop longtemps épargné le tonnerre,
> Reste impur des brigands dont j'ai purgé la terre...[281].

Quand Phèdre renie et chasse Œnone, celle-ci devient pour
elle un « monstre exécrable »[282]. Même Aricie laisse entendre,
mais trop tard, que Phèdre est un monstre[283]. Partout,
l'accusation, fondée ou non, sert à désigner toutes les oppositions passionnelles.

Le chasseur et le chassé ne sont pas les seules images de
cet univers animal étrangement moralisé. Il faut leur ajouter
la figure, essentiellement tragique, du chasseur chassé. Hippolyte, dompteur de chevaux, est dompté par l'amour. Il
se décrit

> Portant partout le trait dont je suis déchiré[284].

Phèdre, au moment même où elle cherche à capturer
Hippolyte, doit reconnaître que les dieux ont allumé dans
son flanc le feu fatal à tout son sang[285]. Animal chassé par
les dieux, brûlé par ce feu comme Hippolyte est déchiré
par un trait semblable, elle est bien incapable de procéder
à la conquête amoureuse dont la chasse est l'image. Le
chasseur chassé est promis à une mort tragique, et son
animalité est le moyen perfide dont les dieux se servent pour
punir son humanité. De fait, Hippolyte et Phèdre sont les
seuls personnages importants qui meurent à la fin de la
tragédie.

Il va sans dire qu'indépendamment de la référence animale qui caractérise *Phèdre*, des personnages monstrueux

281. Vers 1045-1046.
282. Vers 1317.
283. Vers 1443-1446.
284. Vers 540.
285. Vers 679-680.

sont présents dans bien d'autres tragédies de Racine. On
estimera sans doute qu'Hermione, qui tue par personne
interposée, est un monstre. Dire que Néron est un monstre
est une banalité. Roxane est un monstre de dureté, Mithridate un monstre de dissimulation. Eriphile est une autre
Hermione, en ce que, occupant une place latérale par rapport au problème principal, elle prend la décision qui
engendre la catastrophe. Aman est un monstre. Athalie
est un monstre. Point de grande tragédie sans monstre, sauf
Bérénice. Phèdre est-elle un monstre ? Elle ne cesse de
clamer sa culpabilité, mais le jugement de Racine dans sa
Préface est beaucoup plus nuancé. « Phèdre, écrit-il, n'est
ni tout à fait coupable, ni tout à fait innocente... son crime
est plutôt une punition des dieux qu'un mouvement de sa
volonté. » Tout se passe comme si les animaux et les mythes
dont ils sont l'occasion avaient pris sur eux les péchés du
monstre et en avaient délivré le personnage tragique. C'est
peut-être là le moyen, dont parle également la Préface, « de
réconcilier la tragédie avec quantité de personnes célèbres
par leur piété et par leur doctrine »...

Une dramaturgie dynamisée

A / LES OBSTACLES

Une dramaturgie générale se borne à constater que la volonté des personnages, dans une pièce classique, se heurte à des obstacles. Mais lorsqu'on examine de plus près la pratique de Racine, on s'aperçoit que son traitement de l'obstacle est d'une richesse et d'une souplesse extraordinaires. Un exemple, caractéristique il est vrai, pourra suffire : celui du personnage de Phèdre. L'ensemble des obstacles qui sont successivement opposés à cette héroïne constitue une série exceptionnellement longue. Comme Hercule s'était illustré par douze travaux, Phèdre doit faire face à douze obstacles, ce qui est plus que dans bien des pièces réputées plus complexes. Il est nécessaire de les énumérer avec quelque détail pour en faire comprendre la variété.

1º Phèdre aime Hippolyte, et cet amour est présenté comme interdit avant qu'on sache au juste pourquoi il est interdit ; à vrai dire, le texte ne précise jamais les raisons morales ou juridiques qui condamnent cet amour. Il y a, dans tout le début de la pièce, malédiction sans justification. Ce n'est qu'après l'annonce de la mort de Thésée qu'on peut tenter de définir rétrospectivement la faute de Phèdre. Cette faute, selon Œnone, disparaît avec cette mort. Elle dit à Phèdre :

> Vivez ; vous n'avez plus de reproche à vous faire.
> Votre flamme devient une flamme ordinaire.
> Thésée en expirant vient de rompre les nœuds
> Qui faisaient tout le crime et l'horreur de vos feux.
> Hippolyte pour vous devient moins redoutable
> Et vous pouvez le voir sans vous rendre coupable[1].

Phèdre semble convaincue par cette interprétation, puisqu'elle accepte de suivre les « conseils » d'Œnone et de
vivre[2]. On peut penser que, du vivant de Thésée, elle se
reprochait adultère et inceste. L'adultère ne connaissait
aucun commencement de réalisation mais existait certainement en pensée. L'inceste est plus douteux. Il n'y a aucun
lien de sang entre Phèdre et Hippolyte et, sur le mariage
d'une veuve avec le fils de son mari, le droit grec, le droit
romain et le droit français adoptent des solutions différentes[3]. Peut-être pourrait-on soutenir que si Thésée est
vivant, l'amour de Phèdre pour Hippolyte est adultérin mais
non nécessairement incestueux et que, si Thésée est mort,
cet amour ne peut pas être adultérin mais risque d'être
jugé incestueux. En réalité, l'accusation d'inceste a une
base moins juridique que morale. Une belle-mère doit
être, moralement, une mère pour son beau-fils. Elmire dit
« ma mère » à Madame Pernelle[4]. Ce lien est de l'ordre de
la convenance plutôt que de l'obligation véritable. C'est
pourquoi les formules qui l'expriment sont loin d'être
absolues. Œnone dit qu'Hippolyte est « moins » redoutable ;
elle ne dit pas qu'il n'est pas redoutable du tout. Phèdre
dit à Œnone qu'elle lui a fait « entrevoir »[5], et non voir, qu'elle
pouvait aimer. C'est à ce lien purement moral que se réfère
Hippolyte lorsqu'il appelle « mon frère »[6] le fils de Phèdre,
qui n'est que son demi-frère[7]. Donc, l'obstacle de l'inceste

1. Vers 349-354.
2. Vers 363-364.
3. Voir KNIGHT, *Racine et la Grèce*, p. 310
4. MOLIÈRE, *Tartuffe*, vers 6.
5. Vers 772.
6. Vers 490.
7. Le vers 300 montre que les enfants de Phèdre ont Thésée pour père.

et de l'adultère que Phèdre oppose à son amour pour Hippolyte est dans une certaine mesure surfait et s'explique par
une conscience morale exigeante plus que par une impossibilité radicale, du moins une fois que Thésée passe pour
mort.

2° Un autre obstacle se présente alors et prend le relais
du premier. Il est constitué par l'intérêt des enfants de
Phèdre, pour qui elle vient parler à Hippolyte à la scène v
du deuxième acte. Mais ces enfants ne servent que d'introduction au dialogue et sont bien vite oubliés. Ce qui se
cachait derrière eux comme derrière le premier obstacle va
se révéler au cours de la même scène. Quand ses vrais sentiments sont connus, Phèdre s'exclame :

> J'aime! Ne pense pas qu'au moment que je t'aime,
> Innocente à mes yeux, je m'approuve moi-même,
> Ni que du fol amour qui trouble ma raison
> Ma lâche complaisance ait nourri le poison[8].

Les enseignements d'Œnone à la fin du premier acte sont
donc ici oubliés. Cet amour dont l'innocence avait été admise
est redevenu coupable, sans qu'aucun fait soit inter-
venu pour justifier ce changement.

3° Ce qui entre en jeu ici, c'est ce qu'un moderne appellerait le sur-moi de Phèdre. Extraordinairement puissant,
il condamne sans avoir à motiver sa condamnation. Il est
le troisième obstacle. Mais à défaut de réalité, tout pourrait
être obstacle pour Phèdre, parce que l'obstacle est en elle.
Quand elle proclame avec horreur :

> La veuve de Thésée ose aimer Hippolyte![9]

elle montre que, malgré les leçons d'Œnone, l'inceste a
survécu à l'adultère.

8. Vers 673-676.
9. Vers 702.

4° La scène se termine par l'entrée de Théramène, qui peut elle-même être interprétée comme un quatrième obstacle. Œnone conseille à Phèdre d'éviter « des témoins odieux » et de fuir « une honte certaine »[10]. L'existence d'autrui, particulièrement sous la forme de témoins réprobateurs, est un problème de plus. L'une des préoccupations de Phèdre, non la plus élevée ni la seule, mais bien réelle, est désormais d'éviter le scandale.

5° Cinquième obstacle : le fait que Phèdre a avoué son amour à Hippolyte. Elle a parlé, et la parole est, sur tous les plans, une faute dans l'univers racinien :

> Je n'ai que trop parlé.
> Mes fureurs au dehors ont osé se répandre.
> J'ai dit ce que jamais on ne devait entendre[11].

Du fait qu'il est situé dans le passé, cet obstacle est évidemment insurmontable.

6° Il en dissimule un autre, qui résulte de l'évocation par Phèdre de la gêne d'Hippolyte : c'est qu'Hippolyte n'aime pas Phèdre.

7° De cette évidence, et pour tenter d'atténuer la douleur qu'elle lui cause, Phèdre passe à une proposition plus générale, mais que le spectateur sait être fausse : Hippolyte est un sauvage qui n'aime aucune femme.

8° Phèdre croit ensuite trouver une solution dans un contre-obstacle : Hippolyte serait, selon elle, un « jeune ambitieux »[12] et elle espère le « fléchir »[13] en lui offrant de régner à Athènes. Elle ignore que cet intérêt politique est nul pour Hippolyte, qui, dès qu'il l'a pu, a fait des cadeaux politiques à Aricie.

10. Vers 712-713.
11. Vers 740-742.
12. Vers 799.
13. Vers 799 et 807.

9⁰ La scène II du IIIᵉ acte met en action un obstacle de plus : la supplication imprudente que Phèdre adresse à Vénus. En demandant à la déesse de rendre Hippolyte sensible à l'amour, elle crée son propre malheur aussi sûrement que Thésée, par le vœu parallèle qu'il adressera à Neptune. Ces deux vœux seront exaucés, mais l'objet de l'amour d'Hippolyte est Aricie, non Phèdre.

10⁰ A la scène suivante est annoncé le retour imprévu de Thésée. Avec lui reviennent l'adultère et le crime. L'amour de Phèdre devient un « vain amour »[14]. Changeant d'orientation en raison de cette péripétie, les obstacles se mettent à tournoyer. La première réaction de Phèdre est, comme auparavant, la peur du scandale :

> Il me semble déjà que ces murs, que ces voûtes
> Vont prendre la parole et, prêts à m'accuser,
> Attendent mon époux pour le désabuser[15].

Ces murs n'ont pas seulement des oreilles, ils ont aussi des langues. Mais en réalité, l'obstacle principal est devenu Hippolyte. C'est lui qui, en tant qu'il peut révéler à Thésée l'amour de Phèdre, risque de déclencher le scandale dont souffriront Phèdre et ses enfants. Toutefois, il ne faut pas se tromper d'obstacle : le but essentiel de Phèdre à ce stade n'est ni d'assurer un avenir heureux à ses enfants, car elle en est incapable, ni d'obtenir avec Hippolyte une satisfaction amoureuse qui devient de plus en plus improbable à mesure qu'avance le drame : il est de préserver, à travers les difficultés qui s'accumulent, sa propre pureté morale ; le dernier mot qu'elle prononcera dans la tragédie est celui de « pureté ».

Devant l'obstacle Hippolyte, il faut agir, et la scène suivante montre bien qu'Œnone avait tort de dire à Phèdre :

> Mon zèle n'a besoin que de votre silence[16].

14. Vers 825.
15. Vers 854-856.
16. Vers 894.

Phèdre participe activement, et non pas seulement par son silence, au plan d'Œnone, puisqu'elle dit à son mari : « Vous êtes offensé »[17]. On est dès lors dans une situation où Hippolyte n'est plus pour Phèdre l'objet d'un désir ou d'un contact amoureux possible, mais un adversaire, dans une contestation quasi judiciaire assez grave pour entraîner la mort ; de fait, les deux ennemis périront.

11° Le vœu de Thésée à Neptune constitue pour Phèdre un nouvel obstacle. Le problème s'est déplacé une fois de plus. Le but de Phèdre n'est plus de se faire aimer d'Hippolyte : c'est devenu impossible. Il est d'obtenir que Thésée ne tue pas Hippolyte et se borne à l'exiler. Le vœu à Neptune est obstacle pour ce but, et obstacle insurmontable.

12° On pourrait estimer que le nombre et la variété des obstacles sont largement suffisants. Pourtant Racine en ajoute un dernier. Le douzième obstacle s'appelle Aricie.

Découvrant l'amour d'Hippolyte pour elle, Phèdre connaît les affres de la jalousie et par conséquent s'abstient de détromper Thésée. Le passage du onzième au douzième obstacle est un peu rude. Par rapport au problème précédent, celui du sort d'Hippolyte menacé par son père, l'amour du fils pour Aricie importait peu. Il devient au contraire essentiel si l'on suppose, comme on est bien obligé de le faire, que Phèdre se réinvestit comme amoureuse : retournement émouvant, mais difficile à accepter, puisque, dans les circonstances nouvelles, ce sentiment récupéré n'a guère de chance d'être satisfait. On ne peut admettre ce dernier sursaut du personnage qu'en lui supposant une passion qui survit, non seulement à toute probabilité de réalisation, mais à toute réflexion rationnelle. Phèdre n'est plus mue que par son angoisse, et celle-ci la mène très loin, jusqu'au domaine délirant où un amour interdit mais qui n'a pas accepté sa propre mort réclame follement le droit à la vie.

17. Vers 917.

Ce qu'elle connaît à la fin du IVᵉ acte est un délire d'amour. C'est pour cet amour chimérique qu'Aricie est un obstacle. Phèdre proclame donc : « Il faut perdre Aricie »[18]. Mais, comme elle le comprend immédiatement, c'est impossible. D'ailleurs, si elle y parvenait, elle se trouverait dans la situation du pouvoir impuissant qui était, par exemple, celle de Roxane. Le délire de jalousie n'est pas plus réel que le délire d'amour auquel il succède. Il est à son tour suivi par un délire de culpabilité, où Phèdre s'imagine confrontée à des personnages terrifiants, comme ceux qu'on peut voir dans un cauchemar, et qui sont autant d'images du Père justicier : le Soleil, Jupiter, Minos[19]. Tous la condamnent. Les délires ont remplacé les obstacles, parce qu'il n'y a plus de buts. Phèdre ne peut plus rien vouloir. Elle est déjà comme morte.

La dernière mention des enfants de Phèdre apparaît dans la scène v du dernier acte. Elle est fortement ambivalente :

> Quelquefois, pour flatter ses secrètes douleurs,
> Elle prend ses enfants et les baigne de pleurs,
> Et soudain, renonçant à l'amour maternelle,
> Sa main avec horreur les repousse loin d'elle[20].

Lorsqu'elle reparaîtra pour mourir, elle n'aura pas un mot pour ses enfants. Ce fait marque l'impossibilité de définir des buts réalisables, et par conséquent des obstacles qui s'opposeraient à ces buts. Les enfants de Phèdre ne pourront plus être protégés par personne, ni par Hippolyte, à supposer qu'il vive, ni par Thésée, ni par Aricie. Phèdre a échoué comme mère. La fonction maternelle n'était pas pour elle l'essentiel. Mais elle a échoué aussi comme épouse, comme amante et comme reine. Sa faillite est totale. Son rapport avec ses enfants est marqué, comme son rapport avec Hippolyte, par la perversité tragique. C'est pour les sauver

18. Vers 1259.
19. Vers 1273-1288.
20. Vers 1471-1474.

qu'elle est allée voir son beau-fils. Elle a déclenché ainsi un processus qui, objectivement, a causé leur malheur. C'est pourquoi, comme s'ils étaient déjà morts, elle les « repousse loin d'elle ». En un sens, elle a tué ses enfants, exactement comme cette Médée dont elle prendra symboliquement le poison[21]. Après cela, il ne lui restera plus qu'à donner le spectacle d'une mort vertueuse, par laquelle elle répare l'injustice dont elle a été elle-même la cause.

Cette douzaine d'obstacles ne peut évidemment être intégrée dans une dramaturgie réaliste. Ils s'inscrivent dans une perspective trompeuse et fantasmatique, au bout de laquelle rayonne le sentiment véritablement dominant de Phèdre : la volonté d'échouer. Sur ce plan, qui est en réalité plus esthétique que moral, elle a magnifiquement réussi. En fonction des buts changeants et des délires successifs, les obstacles se transforment et se remplacent. Ce qu'à travers eux poursuit le parcours insensé et pourtant rigoureux de Phèdre est en somme une course d'obstacles.

B / LES DILEMMES

Le dilemme n'est pas un procédé dramatique de l'invention de Racine. Il est au contraire largement employé par ses prédécesseurs français. Mais il n'a guère chez eux qu'une valeur intellectuelle : le personnage hésite entre deux attitudes, toutes deux inacceptables, et, puisqu'elles sont inacceptables, il n'en choisit aucune et attend que le progrès de l'action lui en suggère ou lui en impose une troisième. Le dilemme racinien, tout au moins à partir d'*Andromaque*, est dynamique, en ce que le héros s'engage partiellement dans l'une des deux voies interdites, qui ne tire même son caractère tragique que de l'impossibilité qu'il y a à la suivre jusqu'au bout, sous peine de rencontrer le dénouement. *Andromaque* est la tragédie du dilemme par excellence, à la

21. Vers 1637-1638.

fois parce que la situation de tous et de chacun des personnages s'inscrit dans la figure du choix impossible et parce
que les problèmes naissent tous de la rupture, opérée par
l'imprudence tragique, d'un équilibre difficile et fragile mais
qui n'exigeait aucune solution immédiate avant d'être
rompu par les dilemmes.

Depuis un an, en effet, Pyrrhus ne cesse d'hésiter, en une
situation non tragique puisqu'elle n'entraîne aucune conséquence, entre Andromaque et Hermione. Il suffit qu'Oreste
arrive à sa cour pour qu'en vingt-quatre heures l'action soit
dénouée. Cette rapidité, comme la lenteur dont elle hérite,
est certes voulue pour être angoissante, mais ne suffit pas
à justifier l'intrusion du tragique. Le péché d'Oreste, ou
sa folie, est d'obliger tous les personnages, y compris lui-
même, à choisir ce qu'ils ont réussi à ne pas choisir jusqu'a-
lors. Pyrrhus, homme politique, sait conserver le *statu quo*
dans sa réponse à Oreste au premier acte : il refuse de livrer
Astyanax, ce qui n'est que la continuation de sa politique
antérieure, mais il ne renvoie pas Hermione et ne rompt
pas avec les Grecs : les équivoques non tragiques peuvent
continuer. Au IIᵉ acte, il s'engage, sous les espèces de
l'inauthentique, dans l'univers tragique : il va, dit-il, livrer
Astyanax et épouser Hermione. Ce choix d'une des deux
composantes du dilemme va entraîner, par une série de chocs
en retour, les choix des autres personnages. L'équilibre
initial est perdu et l'action condamnée à osciller de péripétie
en péripétie jusqu'à la catastrophe. Quelle est la cause de ce
changement décisif ? La confidente Cléone souligne clairement le rôle de détonateur qu'a joué Oreste :

> Le coup qui l'a perdu n'est parti que de lui.
> Comptez depuis quel temps votre hymen se prépare :
> Il a parlé, Madame, et Pyrrhus se déclare[22].

La situation n'illustre pas seulement l'enseignement aristo-
télicien du héros artisan de son propre malheur. Elle fait

---

22. Vers 836-838.

aussi de ce héros, par son zèle à imposer le dilemme à tous
ceux qui s'en passaient fort bien, le déclencheur d'actions
sur lesquelles la volonté humaine a de moins en moins de
prise. Lorsque tout est consommé, l'analyse d'Hermione,
devenue inutilement lucide, rejoint exactement celle de sa
confidente. S'adressant à Oreste en un saisissant raccourci,
elle le rend responsable du sort des quatre personnages
de la tragédie :

> C'est toi dont l'ambassade, à tous les deux fatale,
> L'a fait pour son malheur pencher vers ma rivale[23].

« Pencher » est un mot particulièrement juste. Le dilemme
racinien est ce qui fait pencher.

Si la mécanique d'*Andromaque* est, plus que celle d'autres
tragédies de Racine, vulnérable à l'action déséquilibrante
du dilemme, elle le doit à sa constitution en chaîne d'amours
contrariées : Oreste aime Hermione, qui aime Pyrrhus, qui
aime Andromaque, qui n'aime que le souvenir de Troie.
Mais dans la tradition pastorale, où ce schéma trouve son
origine, il n'entraîne guère que des lamentations. Racine
a su lui faire produire des actions qui, suivant les chemins
dangereux des dilemmes, déséquilibrent le système et
finissent par le détruire. Il revient à Oreste, par sa situation
dans la chaîne et pas seulement parce qu'il est, en plusieurs
sens du terme, aliéné, de mettre en branle le mécanisme :
situé à l'extrémité la plus inconfortable de la chaîne des
amours, le seul à aimer sans être aimé, le plus démuni de
tous, il n'a, objectivement, rien à perdre, puisqu'il n'a rien.
Il ose les expériences que les autres n'osent pas. Mais Racine
n'a pas développé son tragique individuel. Il a fait d'Oreste
l'élément moteur d'un groupe infernal, mais Oreste n'existe
pas en dehors de ce groupe. Insoluble pour chacun des
quatre personnages, la situation l'est également pour leur
ensemble. Liés entre eux de la manière la plus étroite par
leurs relations d'amour et de haine, les personnages semblent

23. Vers 1557-1558.

condamnés à l'immobilité. Seul un acte de folie peut faire évoluer l'action. La tragédie n'a pas d'issue rationnelle. Le seul mouvement vient des réponses suicidaires à des dilemmes, et l'ensemble de la situation d'*Andromaque* peut apparaître comme un dilemme collectif.

La double postulation, impossible à satisfaire dans aucun de ses aspects contradictoires, ne caractérise pas seulement l'action d'*Andromaque*. Elle pèse aussi, pour les paralyser, sur chacun des quatre personnages. Oreste hésitera jusqu'à la fin entre l'amour qui le domine et la politique qu'il est chargé, sans aucune sincérité, d'appliquer. Son esprit, dira Cléone

> Croit tantôt son amour et tantôt sa vertu[24].

Un crime absurde sera l'issue de ce dilemme. Pyrrhus n'est pas moins partagé entre son amour pour Andromaque et sa haine pour elle, Hermione entre une patience forcée et une fureur cachée, Andromaque entre l'attitude qui sauverait Astyanax et celle qui le perdrait. Ces quatre couples de forces sont indiqués dès la première scène et définissent, non seulement le problème individuel et insoluble de chaque personnage, mais la raison de son opposition farouche à autrui, puisque, dans cette chaîne d'amours, tout personnage est pour un autre un obstacle insurmontable. Le vers clé est prononcé par Hermione :

> Et c'est trop en un jour essuyer de refus[25].

C'est en effet pour tous et pour chacun la journée des refus. Leurs rapports étant ce qu'ils sont, il ne peut en être autrement.

Cette situation globale explique sans peine que, dans chacun des quatre rôles, les formulations du dilemme soient si nombreuses et si claires. Andromaque échappe en partie à cette nécessité, parce que, située à l'extrémité de la chaîne

24. Vers 1464.
25. Vers 1240.

opposée à celle d'Oreste, elle n'a pas de véritable initiative ;
elle ne peut qu'accepter ou refuser les propositions de
Pyrrhus. S'agit-il même d'un véritable choix ? Accepter la
mort d'Astyanax ou accepter le mariage avec Pyrrhus ne
sont pas des solutions vraiment opposées, puisque toutes
deux sont des trahisons d'Hector. Le caractère contradictoire de la solution originale imaginée sur le tombeau
de son mari est bien souligné par la description qu'en donne
Pyrrhus :

> Andromaque m'arrache un cœur qu'elle déteste :
> L'un par l'autre entraînés, nous courons à l'autel
> Nous jurer malgré nous un amour immortel[26].

La conduite de Pyrrhus est elle-même soumise à des dilemmes
qu'il est loin de dominer. Dès la première scène où il
apparaît, il exprime un espoir dont la tragédie démontre la
vanité :

> Et je saurai peut-être accorder quelque jour
> Les soins de ma grandeur et ceux de mon amour[27].

Ambition irréalisable. Non, Pyrrhus ne saura jamais accorder
les soins de sa grandeur et ceux de son amour. S'il le savait,
il ne pourrait trouver de place dans une tragédie où tous
les personnages, sans exception, sont définis par cette incapacité. Le renvoi à « quelque jour » dénonce autrement le
caractère chimérique de cette aspiration. Si la tragédie
s'enferme dans la règle des vingt-quatre heures, c'est pour
sommer les personnages de trouver de façon quasi instantanée la solution de leurs conflits. Il n'y a pas de demain ;
c'est aujourd'hui qu'il faut trouver. C'est en vain qu'Oreste
demande à Hermione des délais[28], en vain qu'Hermione
en demande à Pyrrhus[29] ; ces artifices ne méritent pas de
réponse.

26. Vers 1298-1300.
27. Vers 243-244.
28. Vers 1210-1214.
29. Vers 1374.

Pour souligner l'embarras de Pyrrhus devant le problème d'Andromaque, Racine a eu recours à des tons discrètement comiques. La fin du IIe acte, montrant la préoccupation de Pyrrhus à travers les discours qui la démentent, faisait sourire, et rien n'indique que Racine n'ait pas voulu cet effet. Au début de la scène VI du IIIe acte, l'indécision de Pyrrhus est soulignée par un jeu de gestes qui peut apparaître comme l'écho, très transposé, d'une tradition de la comédie et même de la farce. Pyrrhus et Phœnix feignent de ne pas voir Andromaque. Pour attirer l'attention de Pyrrhus, celle-ci est obligée de se jeter à ses pieds. Ce geste, aussitôt appuyé par un discours émouvant, n'en est pas moins la transposition noble de la bousculade par laquelle entraient enfin en contact les farceurs qui feignaient de ne pas se voir... Que Pyrrhus ne sache pas s'en tenir à des choix d'ailleurs difficiles est évident, et Hermione le lui rappelle sans être démentie :

> Quoi! sans que serment ni devoir vous retienne,
> Rechercher une Grecque, amant d'une Troyenne,
> Me quitter, me reprendre, et retourner encor
> De la fille d'Hélène à la veuve d'Hector,
> Couronner tour à tour l'esclave et la princesse,
> Immoler Troie aux Grecs, au fils d'Hector la Grèce,
> Tout cela part d'un cœur toujours maître de soi...[30].

Oreste est de même en pleine contradiction, et il en est conscient. Son destin, dit-il à Hermione,

> Est de venir sans cesse adorer vos attraits
> Et de jurer toujours qu'il n'y viendra jamais[31].

Il hésitera jusqu'à la dernière seconde, et c'est sans propos bien ferme qu'il entrera dans le temple où doit être célébré le mariage de Pyrrhus et d'Andromaque :

> Enfin il est entré, sans savoir dans son cœur
> S'il en devait sortir coupable ou spectateur[32].

30. Vers 1317-1323.
31. Vers 483-484.
32. Vers 1471-1472.

Mais dans ce quatuor de girouettes, la palme revient à Hermione. Jamais elle ne peut choisir entre son amour pour Pyrrhus et le renoncement, voire la haine, qu'elle voudrait affecter :

> Le cœur est pour Pyrrhus et les vœux pour Oreste[33].

Mais ces « vœux » ne sont qu'une volonté délibérée à laquelle ne correspond aucun contenu affectif réel. Elle ne fait pas mystère à Oreste de la fragilité de sa « haine » pour Pyrrhus :

> Ah, courez, et craignez que je ne vous rappelle[34].
> ...
> Tant qu'il vivra, craignez que je ne lui pardonne.
> Doutez jusqu'à sa mort d'un courroux incertain :
> S'il ne meurt aujourd'hui, je puis l'aimer demain[35].

Son monologue du début du Vᵉ acte trahit encore ses incertitudes et ses contradictions :

> Où suis-je ? Qu'ai-je fait ? Que dois-je faire encore ?
> ...
> Ah, ne puis-je savoir si j'aime ou si je hais ?
> ...
> Non, ne révoquons point l'arrêt de mon courroux.
> ...
> Mais plutôt le perfide a bien d'autres pensées...
> ...
> Non, non, encore un coup, laissons agir Oreste...
> ...
> Hé, quoi! c'est donc moi qui l'ordonne ?[36].

Lucide trop tard, elle révèle enfin la vérité à Oreste :

> Et ne voyais-tu pas dans mes emportements
> Que mon cœur démentait ma bouche à tous moments?[37].

Un emploi si intensif du dilemme et des déchirements qu'il engendre est sans doute lié à la nature particulière

---

33. Vers 538.
34. Vers 1174.
35. Vers 1198-1200.
36. Voir en particulier les vers 1396, 1406, 1407 et 1412.
37. Vers 1547-1548.

de l'action dans *Andromaque*. Il ne se retrouve pas au même degré dans les autres tragédies de Racine, où toutefois sa valeur motrice reste très visible. Le problème d'Agrippine dans *Britannicus* est : céder la réalité du pouvoir à Néron ou jouer Britannicus contre lui. Les deux attitudes aboutissent à l'élimination d'Agrippine et sont donc inacceptables pour elle. Le problème de Titus est du même type : le choix entre chasser Bérénice et l'épouser est également impossible. Agamemnon ne peut davantage ni accepter le sacrifice de sa fille ni le refuser à l'armée qu'il commande. Phèdre, lorsqu'elle croit son mari mort, ne peut renoncer ni à l'intérêt de ses enfants ni à sa passion pour Hippolyte. Mais, à la différence de ce qui se passe dans *Andromaque*, les pulsions exacerbées par ces dilemmes ne fonctionnent qu'une fois dans chaque tragédie, parce qu'elles aboutissent très vite à un événement irréversible : Britannicus meurt, Bérénice accepte de s'éloigner, le sacrifice d'Eriphile est substitué à celui d'Iphigénie, le retour de Thésée bouleverse de fond en comble les perspectives de Phèdre. Le dilemme a été dans tous ces cas la force qui permet d'aboutir à un dénouement ou à une péripétie.

C / LES PÉRIPÉTIES

L'emploi de ce dernier procédé illustre dans le théâtre de Racine le passage du dramatique au tragique. Dans *Alexandre*, Porus, comme plus tard Thésée dans *Phèdre*, passe d'abord pour mort et se révèle ensuite vivant. Mais les avantages que la tragédie d'*Alexandre* pourrait tirer de cette double péripétie ne se traduisent pas en termes d'action. D'abord, la mort de Porus au début du IVe acte n'est présentée que comme une possibilité qui découle elle-même d'un raisonnement : on « découvrirait »[38] ce héros par ses exploits s'il était vivant. Axiane, qui l'aime, envisage

---

38. Vers 967.

donc de se tuer, mais sans conviction excessive. Aussi bien
ce projet n'est-il qu'en paroles, et on peut même douter de
sa sincérité lorsqu'on voit un peu plus tard Axiane pro-
mettre son « estime »[39] à Taxile s'il ose combattre Alexandre ;
ce qu'elle sait bien qu'il ne fera pas. A la scène IV du même
acte, il est annoncé que Porus est vivant. Mais Axiane,
principale intéressée à cette nouvelle, n'est point là pour
l'entendre, et Porus lui-même, qui n'a tiré aucune conséquence dramatique de la double péripétie dont il a été
l'objet, ne revient en scène que pour fournir à Alexandre
l'occasion de montrer sa générosité.

Les péripéties d'*Andromaque* sont nombreuses et contri-
buent puissamment à l'animation de la tragédie. Pyrrhus
repousse la demande d'Oreste au premier acte, puis l'accepte
au deuxième. Après avoir renoncé à épouser Andromaque,
il revient au troisième acte à ce projet. Au quatrième, Andromaque, qui refusait jusque-là d'épouser Pyrrhus, accepte
ce mariage. Oreste, après s'en être défendu, promet à Hermione de tuer Pyrrhus. Lorsqu'il revient réclamer sa récompense, Hermione le chasse. A l'exception de cette dernière
péripétie qui constitue le dénouement, toutes sont réver-
sibles. Racine ne s'est pas privé d'inverser au moins une fois
la situation de chacun des quatre personnages. Le mouvement dramatique est par suite dans *Andromaque* d'une
rapidité exceptionnelle. Mais c'est un mouvement qui ne
mène qu'au mouvement. Il ne débouche sur l'acte tragique,
qui est l'acte de folie criminelle d'Oreste, qu'en renonçant
à sa réversibilité.

Mithridate fait de même des péripéties un usage purement dramatique. La fausse nouvelle de la mort du roi
permet à ses fils et à Monime d'exprimer leurs sentiments.
Mithridate de retour imprime vigoureusement sa marque
dans les domaines politique, militaire et sentimental. Xipharès passe pour mort à son tour. Monime est aux portes de la
mort, puis en revient. La curiosité du spectateur, son besoin

39. Vers 1189.

d'action rapide sont sans doute satisfaits ; son attente du tragique l'est probablement moins.

Il en va tout autrement dans *Phèdre*. Au lieu de construire une intrigue en y incluant le plus possible de retournements, Racine a réduit le nombre des péripéties au minimum indispensable. Il n'y en a plus que deux : Thésée passe pour mort, Thésée est vivant. La première permet l'avènement de la situation tragique dans laquelle les personnages n'auraient jamais osé se placer du vivant de Thésée : Phèdre avoue son amour à Hippolyte, celui-ci et Aricie scellent leur entente. A peine ces positions ont-elles été affirmées que Thésée revient, transformant ainsi les trois autres personnages en coupables. L'accusation contre Hippolyte, la jalousie de Phèdre et les morts du dénouement résultent nécessairement du retour du roi et de ses conséquences. Préparée par la première péripétie et exploitée par la seconde, la situation tragique est ainsi entièrement constituée par les retournements de la situation dramatique.

Si Racine a pu peindre de si cruelles couleurs les membres de la famille dramatique, poursuivant leur analyse jusqu'aux limites de la folie, de la divinité et de l'animalité, s'il a exploité jusqu'en deçà de leur point de rupture les instruments dramaturgiques que son temps lui offrait, c'est parce que ces paroxysmes sont constamment présentés dans les cadres d'une cérémonie, attendue elle aussi par ses contemporains, offrant le maximum de solennité, de satisfaction esthétique et d'une paradoxale sérénité. L'action est d'autant plus cérémonieuse qu'elle est plus violente, et c'est cette violence intégrée qui lui donne son inépuisable vie. Malheureux ceux qui n'ont su voir dans la tragédie racinienne qu'un discours poétique ! A travers et par ses prestiges cérémonieux, elle ruisselle de haine et d'amour frénétiques, et ces passions, loin d'être seulement chantées, s'incarnent en actions inlassables. Chaque mot de chaque personnage modifie l'équilibre des forces, et le progrès dramatique n'est si rapide que parce que l'immuable cérémonie refuse le mouvement qu'elle présente.

TROISIÈME PARTIE

La cérémonie poétique
et sa densité

La cérémonie a trouvé son contenu tragique et son mouvement dramatique. Il lui reste à revêtir ce squelette et ses articulations d'une chair succulente. C'est donc au domaine de la poésie que la recherche doit s'adresser. La poésie n'est point limitée au détail heureux de l'expression ou définie par le fait qu'une œuvre est écrite en vers, dont la structure et la disposition obéissent à certaines règles. Elle est d'abord création d'une couleur. Est senti comme poétique ce qui n'est pas seulement reproduction de la réalité, mais nourrit cette réalité par des éléments savoureux, dépaysants, venus d'ailleurs. La forme la plus accessible de l'ailleurs au XVII⁰ siècle est l'histoire, mais une histoire dans laquelle, comme pour l'esthétique théâtrale, la sélection la plus sévère a délimité un territoire privilégié. L'Antiquité grecque et romaine est le magasin presque exclusif où doivent puiser les écrivains du XVII⁰ siècle en quête d'un climat poétique. Racine, comme les autres auteurs, y a puisé le plus souvent. Lorsque *Bajazet* s'en écarte, la Préface doit justifier la légitimité d'une entreprise qui reste exceptionnelle. Mais l'utilisation poétique de l'histoire gréco-romaine a parfois révélé à Racine des inconvénients majeurs. Par l'histoire, le poids de la société s'exerce sur les personnages et limite leur liberté. Un auteur dramatique du XVII⁰ siècle peut bien rêver d'une poésie gratuite, qui serait toute légèreté et échapperait aux déterminismes historiques,

il ne trouve dans ses instruments culturels rien qui lui per-
mette l'accès à ce domaine, du moins au théâtre. Déjà Aristote, au chapitre IX de sa *Poétique*, soulignait que la poésie
est plus philosophique que l'histoire. Racine allait en faire
l'amère expérience. Souvent, il a dû, devant les problèmes
de l'histoire, faire marche arrière, ruser ou chercher la
véritable création poétique dans d'autres horizons. Son
attention est de plus en plus méfiante vis-à-vis des données
événementielles de l'histoire et elle s'attache progressi-
vement à une Antiquité dénoncée dans la mesure même
où elle est glorifiée.

CHAPITRE PREMIER

Marges d'erreur

A / LE DÉMON DE L'HISTOIRE

Racine n'a abordé le domaine proprement historique qu'à pas comptés et il ne lui a accordé qu'une place réduite dans l'ensemble de son œuvre. Sur ses onze tragédies, quatre se situent dans un passé légendaire, antérieur aux époques sur lesquelles une documentation historique était accessible aux hommes du XVIIe siècle. Ce sont la *Thébaïde*, *Andromaque*, qui n'allègue dans ses Préfaces que des précédents littéraires, Sénèque, Euripide et surtout Virgile, *Iphigénie*, dont la Préface ne se réfère, dans sa première ligne, qu'aux « poètes » et ne cite, en les caractérisant comme tels, que des poètes, Stésichore, Homère et Euphorion de Chalcide, et enfin *Phèdre*, qui repose sur la même trilogie qu'*Andromaque*, Euripide, Virgile et Sénèque. A ces quatre tragédies il faut ajouter trois cas particuliers, extérieurs à l'Antiquité gréco-latine. *Bajazet* se prétend conforme à la réalité historique, mais doit avouer que la transmission des informations a été orale et non écrite, qu'elle a passé par au moins deux intermédiaires, le comte de Cézy et le chevalier de Nantouillet et qu'enfin Racine a été « obligé... de changer quelques circonstances »[1]. *Esther* et *Athalie* sont certes fondées sur l'histoire et allèguent dans leurs préfaces, outre la Bible,

---

1. Première Préface de *Bajazet*. Je dis « au moins deux intermédiaires », parce que le comte de Cézy n'a pas été témoin direct des événements ; il a été « instruit de toutes les particularités de la mort de Bajazet ».

de véritables historiens, qui sont, pour la première, Héro-
dote, Xénophon et Quinte-Curce, et, pour la seconde, Sul-
pice Sévère et Josèphe ; mais le matériel poétique qu'elles
proposent, étant inattaquable pour les contemporains, ne
peut pas poser les mêmes problèmes esthétiques que l'histoire profane. Le domaine de celle-ci se réduit donc à quatre
œuvres sur onze : *Alexandre, Britannicus, Bérénice* et *Mithridate*. Dans la querelle du vrai et du vraisemblable,
Racine a nettement privilégié la liberté du second.

Avec *Alexandre,* dont les sources sont principalement
Quinte-Curce et accessoirement Justin, il entre sur le terrain
historique avec prudence, mais aussi avec une certaine
mauvaise foi. Son propos y est moins de donner une image
exacte, bien que nécessairement partielle, de la stratégie
et de la politique d'Alexandre en Inde que d'évoquer, à
travers la grandeur d'Alexandre, celle de Louis XIV. Dédiée
au roi, soulignant dans sa première Préface que « les
Alexandres de notre siècle » se sont « hautement déclarés »
pour sa tragédie, celle-ci trace complaisamment des por-
traits idéalisés de son héros. Taxile le décrit ainsi :

> D'abord ce jeune éclat qu'on remarque en ses traits
> M'a semblé démentir le nombre de ses faits.
> Mon cœur plein de son nom n'osait, je le confesse,
> Accorder tant de gloire avec tant de jeunesse.
> Mais de ce même front l'héroïque fierté,
> Le feu de ses regards, sa haute majesté
> Font connaître Alexandre ; et certes son visage
> Porte de sa grandeur l'infaillible présage ;
> Et sa présence auguste appuyant ses projets,
> Ses yeux comme son bras font partout des sujets[2].

Tirade écrite pour provoquer, par des allusions bien
claires, les applaudissements d'un public loyaliste. Plus loin,
Axiane se dit obligée de rendre hommage aux « vertus », à la
« victoire modeste » et aux « bontés »[3] du héros. Cette idéa-
lisation, jointe à des conceptions encore superficielles de la

2. Vers 811-820.
3. Vers 1108-1116.

politique et de l'amour, a empêché Racine de montrer
Alexandre en conflit véritable avec ses adversaires. L'admiration pour la « grandeur d'âme » d'un Louis XIV déguisé
en Alexandre a gommé non seulement le tragique, mais
même le contenu dramatique de la pièce.

Dans *Andromaque*, heureusement, Racine, situant son
sujet dans une époque antérieure de plusieurs siècles à celle
d'Alexandre, a évité les pièges de l'histoire et n'a eu à citer
dans ses préfaces que des poètes. Toutefois, l'immense
succès de cette tragédie n'a nullement désarmé, bien au
contraire, les partisans de Corneille, considéré comme un
grand peintre d'histoire, et Racine a cru devoir, pour sa
tragédie suivante, porter la lutte sur le terrain de l'histoire
proprement dite avec *Britannicus*.

Il a accepté la règle du jeu de l'adversaire. Il a fait de
Britannicus la plus cornélienne, et par là la plus anticorné-
lienne, de ses tragédies. Il a voulu peupler sa pièce de personnages nombreux, agissant dans une situation politique
complexe dont le réalisme était garanti par un véritable
historien. Ces décisions courageuses n'étaient peut-être pas
toutes heureuses. Si l'on excepte la pâle Albine, la pièce
compte six personnages importants, en y comprenant les
deux « gouverneurs », Burrhus et Narcisse, dont le rôle, au
moins politique, est indispensable. Il faut leur ajouter deux
personnages qui ne paraissent pas en scène mais sont
souvent mentionnés, Pallas et Octavie, composants nécessaires du paysage à la fois politique et sentimental. Avec
ces huit personnages, *Britannicus* est loin de la simplicité
qui fera la force de la tragédie suivante, *Bérénice*, et de bien
d'autres œuvres de Racine.

D'autre part, la nécessité pour ces personnages de se
frayer un chemin dans un contexte historique difficile
entraîne l'exigence de leur lucidité. On ne peut en général
taxer d'aveuglement ni Néron, ni Agrippine, ni Junie. Seul
Britannicus est insensible aux dangers de la situation, et
c'est bien pourquoi il meurt ; à la fin, pour qu'elle n'empêche pas le dénouement, Agrippine, dans la petite scène II

du dernier acte, le rejoint provisoirement dans l'aveuglement. Mais elle était lucide dès le début, et sa première réplique disait l'essentiel : le lien politique entre Britannicus et elle-même. Ainsi se trouve inversé dans cette tragédie le schéma classique que la critique reconnaît comme typiquement racinien : au lieu du héros aveuglé par la passion et du confident lucide, formule qui avait prouvé son efficacité dans *Andromaque* et devait être souvent reprise, on a ici des héros lucides et des confidents (sauf Narcisse, qui est presque un héros) généralement trompés par les apparences. C'est bien l'indice qu'il y a pour Racine opposition de moyens entre la tragédie qui échappe à l'histoire et la tragédie historique.

Enfin, le rapport de *Britannicus* avec Tacite est à la fois précieux et dangereux. Alors que les « sources » sont souvent si peu instructives, ce rapport est ici fondamental. Racine a certainement savouré la manière dont Tacite a su peindre en traits de feu les problèmes et les crimes de la cour de Néron. Il a pris à son modèle tout ce qui constitue une peinture accusatrice de la société impériale, en particulier ce qui concerne Agrippine. Mais, pour éviter de choquer son public français, il a dû beaucoup éliminer et beaucoup ajouter.

Les bienséances de son temps n'auraient pas supporté bien des traits que rapporte l'historien. Tacite en dit bien plus que Racine. L'attachement d'Agrippine pour Pallas est affirmé, mais non justifié, dans la tragédie. On le comprend mieux quand on apprend, en lisant les *Annales*, que Pallas était l'amant d'Agrippine, qu'il avait poussé Claude à épouser celle-ci après l'exécution de Messaline, puis à adopter Néron[4]. Chez Tacite, l'empoisonnement de Claude par Agrippine est présenté, non comme un on-dit, mais comme un fait[5]. Quant à l'empoisonnement de Britannicus, il a, dit Tacite, fait peur à Agrippine, car elle comprenait que son

4. *Annales*, liv. 12, chap. 3 et 25.
5. *Annales*, liv. 12, chap. 66.

auxiliaire le plus puissant lui était arraché et qu'il y avait là
un exemple de parricide : *sibi supremum auxilium ereptum et
parricidii exemplum intellegebat*[6]. Au reste, commente l'historien, la plupart des Romains excusaient ce crime, car le
pouvoir ne peut se partager : *facinus cui plerique etiam
ignoscebant, antiquas fratrum discordias et insociabile regnum
aestimantes*[7]. Dans le même chapitre, il rappelle qu'avant ce
meurtre et à plusieurs reprises Néron avait déshonoré l'enfance de Britannicus, qui ainsi avait été souillé par le stupre
avant de l'être par le poison : *illusum isse pueritiae Britannici
Neronem... stupro prius quam veneno pollutum*[8]. On apprend
ensuite que Néron avait pensé de longue date à tuer sa mère :
diu meditatum scelus[9]. Pour protéger sa vie et sa puissance,
celle-ci s'était offerte plusieurs fois à son fils, au milieu
du jour, au moment où Néron était échauffé par le vin et les
banquets, prête à l'inceste : *ardore retinendae Agrippinam
potentiae eo usque provectam ut medio diei, cum id temporis
Nero per vinum et epulas incalesceret, offeret se saepius temu-
lento comptam et incesto paratam*[10]. La situation était donc
sans issue. Burrhus et Sénèque, qui en étaient peut-être
informés, pensaient que si Néron ne faisait pas tuer Agrippine, c'est lui qui serait tué : *incertum an et ante gnaros... eo
descensum credebant ut, nisi praeveniretur Agrippina, pereun-
dum Neroni esset*[11]. Agrippine avait prévu sa propre mort
depuis longtemps : *hunc sui finem multos ante annos credi-
derat Agrippina contempseratque*[12]. Après elle, Burrhus, puis
Pallas sont morts, peut-être sur l'ordre de Néron[13].

Au total, Racine a supprimé ce qui concerne les rapports
sexuels entre Néron et Britannicus d'une part, entre Néron
et Agrippine d'autre part ; il n'a évoqué le meurtre ulté-

---

6. *Annales*, liv. 13, chap. 16.
7. *Annales*, liv. 13, chap. 17.
8. *Annales*, liv. 13, même chapitre.
9. *Annales*, liv. 14, chap. 1.
10. *Annales*, liv. 14, chap. 2.
11. *Annales*, liv. 14, chap. 7.
12. *Annales*, liv. 14, chap. 9.
13. *Annales*, liv. 14, chap. 51 et 65.

rieur d'Agrippine que comme une possibilité lointaine et il a soigneusement évité de faire allusion au caractère nécessaire du conflit entre Néron et sa mère, reconnu par tous les contemporains informés, parce que cette situation était de nature à diminuer, à partir du moment où l'on accepte d'entrer dans cet univers monstrueux, la responsabilité de Néron. Il n'en reste pas moins que l'Agrippine de Racine est peinte avec des couleurs suffisamment énergiques pour qu'il soit inadmissible d'opposer le mauvais fils à la bonne mère.

Ce que Racine a ajouté à Tacite concerne Narcisse et Junie. Dans Tacite, Narcisse meurt au début du règne de Néron. En prolongeant sa vie, Racine lui donne une fonction bien connue dans la tragédie politique : celle du mauvais conseiller, responsable réel des crimes que la foi monarchiste n'ose attribuer à ses maîtres. Outre qu'il justifie pour une part l'aveuglement de Britannicus, Narcisse atténue dans une certaine mesure la responsabilité de Néron. Le fait, mentionné trois fois dans la pièce[14], que les trois premières années du règne aient été heureuses va dans le même sens. En réalité, Néron, devenu empereur en 54, a fait tuer Britannicus en 55. S'il avait respecté ces dates, Racine aurait montré, certes, la cruauté de Néron, mais aussi son sens politique : Néron a vite compris que les droits de Britannicus à l'empire étaient pour lui un danger mortel. En prolongeant la période d'hésitation jusqu'à trois ans, Racine suggère une lutte psychologique : Néron a balancé entre ses bons penchants, réels jusque-là, et les mauvais, qui devaient l'emporter.

Le personnage de Junie est entièrement inventé par Racine, tout au moins dans ses rapports avec Britannicus et avec Néron. Elle est présente ou mentionnée de la première scène à la dernière. L'attirance de Néron pour elle, quoi qu'on puisse en penser, est assez forte pour que, lorsqu'il l'a perdue, il sombre dans un égarement qui pourrait

14. Vers 25, 27 et 462.

le mener jusqu'au suicide. Junie ne sert sans doute pas à flatter Néron, mais elle l'humanise, par le seul fait qu'il éprouve pour une jeune fille estimable un sentiment sincère. Surtout, elle entraîne subtilement l'intrigue dans une direction sentimentale qu'une lecture plus strictement politique de Tacite aurait négligée. Au début de la pièce, bien que l'événement soit décrit en termes sentimentaux par Britannicus (« on me l'enlève »)[15], l'action de Néron sur Junie n'est nullement un enlèvement. Action violente, mais excusable par l'amour, l'enlèvement suppose la connaissance de la personne enlevée. Or Néron n'a jamais vu Junie. Il la voit pour la première fois lorsque ses soldats l'amènent au palais impérial. Il s'agit d'une véritable arrestation, et celle-ci est une action politique. Elle vise à abaisser le parti de Britannicus et d'Agrippine, en lui interdisant l'espérance d'un mariage avec une descendante d'Auguste qui renforcerait ses prétentions au trône. Le bannissement de Pallas, annoncé au début du deuxième acte, illustre la même politique. Mais quand Néron s'ouvre à Narcisse, l'arrestation de Junie change de sens : au lieu de l'emprisonner pour neutraliser ses adversaires, l'empereur, devenu subitement amoureux, veut la conquérir, voire l'épouser. Le problème politique s'est mué en problème sentimental et, qui plus est, ce problème sentimental est insoluble. L' « amour », comme il l'appelle, de Néron pour Junie ne pourra jamais être satisfait, et cette impossibilité serait tragique si Néron était un personnage positif.

En outre, la situation sentimentale ainsi créée contredit la situation politique qui lui a donné naissance : Burrhus dit fort justement au début du troisième acte que cet amour nouveau ne fait que troubler un état de choses qui était jusque-là favorable à Néron. Dès lors, les ennemis de Néron relèvent la tête, et la lutte politique se radicalise. Britannicus envisage une conspiration[16] et se refuse du moins

15. Vers 295.
16. Vers 905 et s.

à tout compromis. La situation ne peut que se durcir. Néron est amené très rapidement à penser faire suivre l'arrestation de Junie par celle de Britannicus, celle d'Agrippine et même celle de Burrhus[17]. Après une péripétie qui montre le triomphe illusoire et provisoire d'Agrippine, Néron est acculé au crime par l'imprudence de sa mère et par la constance amoureuse de Junie et de Britannicus.

Ainsi les événements politiques, retracés conformément au récit de Tacite, peuvent-ils apparaître, grâce à la création du personnage de Junie et au rôle important qu'il joue, comme étant la conséquence nécessaire d'une situation sentimentale. Par cet éclairage nouveau, Racine croyait sans doute mieux adapter sa pièce au goût de ses contemporains. Le succès n'a guère répondu à son attente. La raison en est peut-être que Racine, tout en dotant sa pièce de prestiges affectifs qu'il estimait sans doute manquer aux dernières œuvres de Corneille, a heurté de front une tradition cornélienne encore très vivante par le choix même de son sujet. Néron, par sa seule présence, inverse le contenu du message historique accepté par la société lettrée du XVIIe siècle. La Rome de Corneille est toujours glorieuse, et le public tient à cette image admirable, même s'il critique la facture de certaines tragédies cornéliennes. Cette Rome métaphysique, plus vraie que celle de l'histoire, impose à ses adorateurs de durs, mais nécessaires sacrifices, qu'imiteront bientôt les personnages de *Bérénice*. Les grands scélérats de Corneille, une Cléopâtre, une Marcelle, un Attila, ne sont pas romains. A l'inverse, Racine a choisi, ce que Corneille ne fait jamais, de montrer la monstruosité au pouvoir à Rome. C'est pourquoi il a pris comme modèle le plus grand peintre de l'Antiquité, qui en est aussi le plus terrible dénonciateur. Cette attitude courageusement opposée à la thématique régnante ne lui a pas réussi. On voulait admirer. C'est un certain sentiment d'admiration pour Rome, explicable en partie parce que la culture romaine

17. Vers 1069, 1091-1092 et 1098.

est sentie comme la mère de la culture française, qui a été
choqué, plus que l'admiration pour Corneille, par *Britannicus.*

Le demi-échec de la pièce, tout au moins lors de sa
création, explique que Racine n'ait jamais recommencé une
si imprudente dénonciation : la cour de Titus aura toutes
les vertus qui manquent à celle de Néron et si d'autres
monstres règnent dans *Bajazet* ou dans *Athalie,* ils ne
sont du moins pas romains. Il explique aussi la tension et
même la rancœur de la première Préface. Racine y montre sa
volonté de répondre à tout et d'avoir raison sur tous les
points. Seul compte pour lui le moment présent. Ainsi la
première phrase, pour affirmer que *Britannicus* est celle
de ses pièces qui lui a attiré le plus d'applaudissements,
oublie *Andromaque,* dont le succès a certainement été plus
considérable. Mais *Andromaque* est loin, et c'est le sort
de *Britannicus* qui est en jeu. Plus bas, le passage où il
évoque Corneille sans le nommer est une véritable caricature,
au point que les traits n'en sont guère reconnaissables : les
critiques ne s'accordent pas sur l'identité des pièces visées ici
par Racine[18].

Britannicus a donc été pour son auteur la première rencontre importante avec l'histoire, et elle a été décevante. Le
choc a été rude. Racine s'en souviendra toute sa vie. Sa
pièce suivante, *Bérénice* est en un sens un refus de l'histoire.
Au lieu des abondantes et précises chroniques de Tacite,
Racine se contente de quelques mots de Suétone, et il
modifie profondément le paysage sentimental qui aboutit à
l'apparente énigme de l'*invitus invitam.* Dans la réalité
telle que la font connaître Suétone et d'autres historiens
antiques, Titus s'était consacré à une vie de débauche
remontant à sa lointaine jeunesse passée à la cour de Néron,
et Bérénice avait activement participé à cette débauche.

---

18. Pour quatre pièces évoquées par le texte de RACINE, les critiques
en citent beaucoup plus : la *Mort de Pompée, Sertorius, Sophonisbe,
Agésilas* et *Attila* de Pierre CORNEILLE, *Pausanias* de QUINAULT, la *Mort
d'Annibal* de Thomas CORNEILLE, etc.

L'évolution de Titus vers la vertu, qui semble d'ailleurs avoir été réelle, fait de lui une contrepartie à la figure de Néron. Bérénice avait été chassée de Rome une première fois par Vespasien. Quand Titus devint empereur, elle tenta de reprendre la vie commune. Elle était, semble-t-il, quinquagénaire. En la renvoyant, Titus mit fin à un scandale qui n'avait que trop duré[19]. On conçoit qu'il fallait une grande liberté vis-à-vis de l'histoire pour tirer de ces faits le drame de l'amour le plus pur et le plus exigeant.

En outre, les dimensions du tableau entraînent entre cette tragédie et les précédentes une différence de nature. *Andromaque* et *Britannicus* étaient de vastes fresques, mettant en jeu des événements nombreux et connus, qui imposaient la référence à la réalité historique ou légendaire. Ici au contraire, l'événement tragique a une portée historique minime et n'intéresse qu'indirectement l'histoire du monde. Il peut donc être regardé et analysé de beaucoup plus près que les conséquences de la guerre de Troie ou le gouvernement de l'Empire romain. Au lieu d'un vaste paysage, qui est nécessairement historique, il y a choix d'un canton restreint, examiné avec un fort grossissement. A ce point de vue aussi, *Bérénice* est une tragédie exceptionnelle.

En apparence, le sujet de *Bajazet* échappe à l'histoire, du moins à l'histoire imprimée, comme le souligne la première phrase de la première Préface. C'est que le traumatisme de *Britannicus* se prolonge jusqu'ici. En fait, l'éloignement des lieux, comme l'explique la deuxième Préface, rétablit en quelque sorte une dimension historique. Ces personnages turcs ont, par leur éloignement, « de la dignité » et « on les regarde de bonne heure comme anciens ». Ils ont les avantages, mais non les inconvénients, des héros romains.

Mithridate marque la réconciliation de Racine avec l'histoire. Puisque Corneille n'avait pas encore renoncé au

---

19. Pour d'autres détails sur ces réalités historiques, voir mon édition de *Bérénice*, SEDES, 1974.

théâtre, Racine veut une fois de plus le battre sur son propre
terrain. Ses armes sont maintenant meilleures. *Britannicus*
avait été contesté, *Mithridate* triomphe. Le héros n'est pas
romain et tire tout son prestige de la lutte contre les
Romains. Ses aspects négatifs sont évidents et il est pourtant glorifié. Racine traite les événements historiques,
pourtant assez connus, avec autant de liberté que ceux,
plus intimes, de *Bérénice*. Les faits rassemblés dans les vingt-
quatre heures de sa tragédie ont occupé dans l'histoire vingt-
six ans. C'est en 88 avant Jésus-Christ que Mithridate, âgé
de 44 ans, a épousé Monime ; il l'a fait mourir vers 70 ;
un peu plus tard, il a fait tuer Xipharès ; en 63, trahi par
Pharnace, il s'est tué. Rien dans l'histoire n'indique d'amour
entre Xipharès et Monime, que séparait sans doute une
grande différence d'âge. C'est Xipharès que privilégie la
tragédie, alors que Pharnace a été historiquement beaucoup
plus important. La Préface passe sous silence tous ces faits
et cite avec aisance les historiens qui confirment la version
de Racine.

Après *Suréna*, Racine n'a plus besoin de l'histoire. La
légende lui suffit, enrichie de tout ce qu'il a appris depuis
la *Thébaïde*. *Iphigénie*, retour à un passé plus ancien que
celui d'*Andromaque*, évite la caution des faits, auxquels se
substitue un merveilleux rationalisé. *Phèdre* reprend la
même formule. Le mécanisme tragique a trouvé son autonomie : les mythes engendrent leurs conséquences nécessaires, sans que les faits humains se permettent de les
contredire. Un détail de *Phèdre* illustre cette volatilisation
de l'histoire en mythologie. Théramène dit au début qu'il
a cherché Thésée jusqu'aux régions

> Où l'on voit l'Achéron se perdre chez les morts[20].

Ce fleuve du nord de la Grèce n'est là que pour suggérer,
par son nom trompeur, le voyage de Thésée aux enfers.
Dans la Préface, Racine cite à ce propos Plutarque et

20. Vers 12.

remarque gravement qu'il a tâché « de conserver la vraisemblance de l'histoire, sans rien perdre des ornements de la fable, qui fournit extrêmement à la poésie ». En fait, la fable a annexé l'histoire.

A l'extrémité de la carrière dramatique de Racine, *Athalie* peut à nouveau être fondée sur une histoire qui n'a plus à être romaine ni à tenir compte de ses frontières avec la mythologie païenne. Tout se passe comme si, pour le Racine d'après 1677, l'histoire représentait la face profane, mais essentielle, de la tragédie. Indépendamment de son contenu religieux, *Athalie* peut être sans scrupules une tragédie politique, militaire et même nationale.

Au total, l'histoire a été pour Racine une sorte de démon, dans la mesure où ce démon l'a à la fois tenté et déçu. Il a aimé l'histoire : son choix du genre tragique et sa manière de traiter certaines tragédies le prouvent, et il est devenu à la fin de sa vie, non seulement historiographe parce que le roi l'a voulu, et, semble-t-il, sans déplaisir, mais aussi, sans y être le moins du monde obligé, historien. Mais en même temps il a cruellement éprouvé, surtout à l'occasion de *Britannicus*, les dangers et les servitudes de l'histoire sur le plan esthétique. Entre la tentation de donner à l'histoire la première place dans la tragédie et la tentation de s'en passer plus ou moins habilement par divers moyens, il a hésité toute sa vie. Si son amour de l'histoire est dans l'ensemble un amour déçu, il faut sans doute voir un signe et un symbole dans l'incendie qui, au XVIIIe siècle, détruisit la totalité des manuscrits auxquels il avait travaillé pendant les vingt dernières années de sa vie en qualité d'historiographe. S'il avait connu cet événement, il aurait pu dire, comme Oreste :

Oui, je te loue, ô ciel, de ta persévérance![21]

21. *Andromaque*, vers 1614.

B / FILS DE QUELQU'UN

Indépendamment du choix ou du refus de l'histoire ou de la légende, il existe un autre moyen par lequel le poids de la société se fait sentir sur les héros raciniens. C'est celui qui présente les personnages d'une génération de l'histoire comme étant dans un contraste significatif avec ceux de la génération précédente, plus glorieuse ou au contraire plus criminelle que la leur. Appartenant nécessairement à d'illustres familles, les personnages de la tragédie se prêtent naturellement à cette comparaison, et Racine en a tiré des effets puissants et fréquents. De toutes ses tragédies, c'est *Andromaque* qui est le plus purement et avec la constance la plus remarquable le drame de la deuxième génération. Ses quatre principaux personnages s'y réfèrent sans cesse à leurs célèbres parents, non point pour se vanter ou pour regretter un passé aboli, mais pour se justifier de ce que leur conduite continue, ou au contraire contredit, celle de la génération précédente. Sans doute ce parti pris était-il inscrit dans le choix du sujet : le recours à Virgile rendait naturelle, mais non obligatoire, l'étude des conséquences de la guerre de Troie. Mais Racine a si inlassablement comparé ses personnages à leurs prédécesseurs, il a soumis, non seulement leurs émotions, mais leurs actions et leurs réactions à une si permanente et si étrange hypertrophie du passé qu'on est conduit à se demander quelles sont les vraies raisons du procédé.

Il éclate dès la Liste des personnages. Andromaque est *veuve d'Hector*. Elle n'est pas définie par un père, encore que Priam, père d'Hector, soit souvent allégué, mais elle l'est par un *temps d'avant*, qu'implique le sens même du mot de veuve, et l'on sait de reste que ce temps d'avant détermine abondamment sa conduite présente. Pyrrhus est *fils d'Achille*, bien qu'on puisse estimer qu'Achille n'a guère dans la pièce qu'un rôle poétique : il n'est évoqué que par comparaison avec son fils. Oreste est *fils d'Agamemnon*, et pourtant la situation très différente du père et du fils ne permet pas souvent d'écraser l'un par l'autre. Hermione, moins connue, est *fille d'Hélène*. Pas un des quatre personnages entre lesquels se joue la pièce que Racine n'ait tenu à définir par rapport à un mari ou à un père qui vivait avant eux. Il n'est pas jusqu'à *Phoenix* qui ne soit *gouverneur d'Achille et ensuite de Pyrrhus* ! Or pas une fois dans la pièce n'est alléguée la relation de Phoenix avec Achille. Ce détail montre bien à quel point Racine a voulu que soit lourd le poids du passé sur ses personnages.

Quand Pyrrhus reçoit l'ambassade d'Oreste, l'évocation des filiations, en apparence complimenteuse, est toujours l'occasion d'un reproche. Le « fils d'Achille »[22] a une conduite indigne d'Achille. Les désastres causés par Hector auront pour écho les désastres causés par son fils, et les vaisseaux brûlés une seconde fois seraient le signe de la continuité du passé[23]. Que l'on contredise un passé glorieux ou que l'on continue un passé inacceptable, on a tort dans les deux cas. Il n'y a pas de bon usage du passé. Pyrrhus répond, bien entendu, sur le même ton et appelle « fils d'Agamemnon »[24] celui qui se prête à un projet à la fois dérisoire et révoltant. La distance entre le passé et le présent est courte : « un an entier »[25] suffit ; c'est l'unité de temps de l'épopée, selon certains critiques du XVIIᵉ siècle[26] ; mais cette durée suffit à assurer la cassure entre les deux générations qu'oppose constamment la pièce. L'une vivait dans une situation de guerre. L'autre doit faire face aux problèmes de la paix, et y parvient mal. Tout le raisonnement de Pyrrhus repose sur la distance entre jadis (qui n'est qu'un naguère, mais dans un monde radicalement transformé) et maintenant.

Les appels ou les reproches d'Andromaque à Pyrrhus

22. Vers 146 et 150.
23. Vers 161-164.
24. Vers 178.
25. Vers 206.
26. Voir R. BRAY, *La formation de la doctrine classique*, pp. 285-286.

n'ont pas d'autre base. Pour elle aussi, il est «fils d'Achille»[27]
et Hermione est « fille d'Hélène »[28]. Elle dit vrai quand elle
évoque le caractère inexpiable de la mort d'Hector, tué par
Achille, père de Pyrrhus[29]. Voilà ce qui ne se peut par-
donner et qui est le fondement de la tragédie. Si le passé
est brandi sans cesse dans *Andromaque*, c'est qu'il est une
arme. Il est l'aliment nécessaire de la haine et le sujet
constant du discours qui le ressasse.

Le revirement de Pyrrhus, qui, au deuxième acte,
accepte de livrer Astyanax aux Grecs, est étayé et justifié
par de nombreux rappels de la gloire des pères. Pyrrhus
dit à Oreste :

> J'ai songé comme vous qu'à la Grèce, à mon père,
> A moi-même en un mot je devenais contraire[30].

A la suite de son maître, Phœnix orchestre ce thème :

> C'est Pyrrhus, c'est le fils et le rival d'Achille
> Que la gloire à la fin ramène sous ses lois,
> Qui triomphe de Troie une seconde fois[31].

Hermione, de même, évoque Hector, Achille et Hélène[32]
pour comparer leurs actions avec la situation présente.
Andromaque surtout puise infatigablement dans ce parallèle toujours disponible. Sans cesse, elle se définit comme
« veuve d'Hector »[33] et aime évoquer, comme un reproche
ou comme un exemple, les scènes du passé. Elle dit à
Hermione :

> Hélas, lorsque lassés de dix ans de misère
> Les Troyens en courroux menaçaient votre mère,
> J'ai su de mon Hector lui procurer l'appui[34].

27. Vers 310.
28. Vers 342.
29. Vers 357-362.
30. Vers 609-610. Voir aussi les vers 612 et 621.
31. Vers 630-632.
32. Vers 839-844.
33. Vers 860, 865-866, 928-930, 993-994.
34. Vers 873-875.

Et à Pyrrhus :

> Jadis Priam soumis fut respecté d'Achille ;
> J'attendais de son fils encor plus de bonté.
> Pardonne, cher Hector, à ma crédulité ![35].

Naturellement, dans ses cris ou ses arguments, Andromaque inverse la leçon du passé. Pour ses adversaires, la mort d'Hector était juste et il faut continuer la politique de défense de la Grèce. Pour la veuve d'Hector, cette mort est un acte barbare, mais qu'il est au pouvoir de Pyrrhus de réparer en partie, en protégeant Astyanax. A la fin du troisième acte, Andromaque est au comble de la contradiction : elle ne peut choisir entre l'image inacceptable de la mort d'Hector et celle d'un Pyrrhus reniant son passé et sauvant Astyanax. Cette tension, constitutive de la situation dramatique, est génératrice d'un état quasi névrotique. On ne peut certes reprocher à Andromaque de ne pas trouver d'issue à un état de fait qui n'en comporte pas pour elle, mais on estimera peut-être qu'en vivant exclusivement dans le passé, ou dans l'avenir d'Astyanax qui n'est qu'un prolongement de ce passé, elle néglige dangereusement le présent. De cette puissance du passé naît le fantôme d'Hector. Qu'on croie à sa réalité, comme le fait la religieuse Céphise, ou qu'on pense que l'exaltation d'Andromaque, sans issue rationnelle possible, a engendré ce fantasme, on constate qu'à partir du début du quatrième acte Hector est devenu un personnage du drame, et même un personnage fort important, puisqu'il a véritablement dicté la conduite qui va effectivement être celle d'Andromaque. Elle dit :

> Voilà ce qu'un époux m'a commandé lui-même[36].

Malgré ses tragiques conséquences, cette conduite nouvelle permet à Andromaque et à Pyrrhus de sortir de l'esclavage du passé. Mais les autres personnages, qui n'ont pas

35. Vers 938-940.
36. Vers 1098.

été informés de l'apparition et de la décision d'Hector,
continuent à vouloir revivre sans cesse la guerre de Troie.
Oreste dit significativement à Hermione :

> Prenons, en signalant mon bras et votre nom,
> Vous, la place d'Hélène, et moi, d'Agamemnon[37].

Confrontée à Pyrrhus, Hermione ne manquera pas de
lui rappeler les meurtres d'un vieillard, Priam, et d'une
jeune fille, Polyxène, dont il s'est rendu coupable à la fin
de la guerre de Troie[38], et au dernier acte, avant l'irruption
d'un Oreste devenu assassin, elle se comparera encore amèrement à sa mère Hélène[39]. *Andromaque* est dans une large
mesure une pièce où tous les personnages se dissimulent
derrière l'image d'un père ou d'un époux mort, ou du moins
appartenant à un passé révolu, et où cette substitution
exaspère les tensions qui existent dans le présent et entraîne
les conséquences les plus sanglantes. Elle justifie la « grande
tuerie »[40] finale aussi bien que dans *Bajazet*, tragédie sans
passé, et mieux que dans la *Thébaïde*, où pourtant tous les
principaux personnages sont, à des titres divers, les héritiers
d'Œdipe, mais où Racine n'avait pas encore découvert la
puissance dramatique et poétique du passé.

La valorisation de la relation filiale n'atteint pas, dans
les autres tragédies de Racine, l'ampleur qu'elle connaît dans
Andromaque. Elle existe pourtant, et sous des formes variées.
Agrippine évoque à trois reprises[41] dans *Britannicus* son
père Germanicus, pour qui elle éprouve une grande véné-
ration et dont le souvenir constitue pour elle un atout
politique. Dans *Bérénice*, Vespasien a eu pour son fils Titus,
entre autres vertus, celle de le dispenser de se poser les problèmes impliqués par l'amour de Bérénice :

> Un autre était chargé de l'empire du monde[42],

37. Vers 1159-1160.
38. Vers 1333-1340.
39. Vers 1478-1480.
40. C'est le mot de Mme de Sévigné sur le dénouement de *Bajazet*.
41. Vers 164, 844 et 1172.
42. Vers 456.

Mais dès la mort de Vespasien, Titus a dû faire face à sa responsabilité. Pour *Mithridate*, par un autre traitement original du même thème, le passé est Mithridate lui-même, quarante ans plus tôt. Les allusions de la tragédie à la longueur de la lutte du héros contre Rome constituent en quelque sorte le jeune Mithridate en ancêtre, dans l'idéal, du vieillard qui lutte sur la scène ; cette image lointaine, à laquelle le personnage veut rester fidèle, est à elle seule la génération antérieure. Dans *Phèdre*, la différence de valeur entre les héros de la guerre de Troie et leurs successeurs torturés trouve son écho dans le contraste entre les exploits légendaires de Thésée et l'humilité de son fils, qui n'a encore tué ni monstres ni brigands ; de même Phèdre s'estime bien éloignée, sur le plan de la moralité, de son père Minos et de son grand-père le Soleil.

Toutefois, on trouve aussi chez Racine la disposition inverse, et la deuxième génération n'est pas forcément inférieure à la première. La *Thébaïde* est l'histoire de la génération qui a succédé à celle d'Œdipe. Or Œdipe, à côté des crimes qui le rendent exemplaire, a des aspects positifs qui ont parfois été soulignés. On peut voir en lui un roi civilisateur, vainqueur du monstrueux Sphinx, vainqueur de la peste, tenace dans la recherche de la vérité et de la justice, fût-ce à son propre détriment. Quelques années avant la *Thébaïde*, l'*Œdipe* de Pierre Corneille avait proposé un portrait nuancé et non dépourvu de valeurs. Racine ne retient d'Œdipe que les « crimes »[43] ; Jocaste parle du « jour infâme »[44] où elle s'est unie à Œdipe et ne voit dans la vie de celui-ci qu'une « triste destinée »[45]. Plus nettement encore, *Iphigénie* est la contre-épreuve d'*Andromaque* : Agamemnon, Clytemnestre, Achille et Ulysse, que prolongent sans les contredire Iphigénie et Eriphile, appartiennent à une génération brillante. Avant eux, la génération d'Atrée et de Thyeste propose des crimes horribles et célèbres.

43. Vers 29-30, 428, 430, 1183.
44. Vers 599.
45. Vers 83.

Le thème de l'opposition des générations ne s'insère donc pas d'une manière automatique dans les creux que crée le démon de l'histoire au sein des œuvres de Racine. *Andromaque* a beau refuser les servitudes de l'histoire et témoigner d'une grande richesse d'invention, elle ne peut pas, du seul fait qu'elle est peinture d'une deuxième génération, éliminer totalement l'histoire. Paradoxalement, cette pièce qui a voulu sacrifier l'histoire à la légende réintroduit nécessairement, par son insistance sur le conflit des générations, la succession historique, bien qu'il s'agisse d'une histoire sans historiens. Si l'on admet, comme la pièce le suggère à plusieurs reprises, que Pyrrhus ne vaut pas Achille, elle implique un sentiment de « décadence » qui suppose une attitude admirative pour la génération d'Achille. Mais la notion de décadence est parfois ambivalente, surtout du fait que ces problèmes étaient particulièrement vivants et complexes pour la génération de Racine. Celle-ci se considérait comme très supérieure à la précédente, marquée à ses yeux par une esthétique « gothique » et par les erreurs de la Fronde. Pourtant, la supériorité culturelle de l'Antiquité n'était pas mise en question par Racine, ni par la plupart de ses contemporains. A travers cette double comparaison, on voit déjà poindre la Querelle des Anciens et des Modernes, aux premiers épisodes de laquelle Racine assistera plus tard. Pour l'instant, il ne semble pas se poser de problèmes généraux et se contente d'avoir découvert, à l'occasion d'*Andromaque*, que le passage des générations est un puissant créateur de haine. Les personnages de la *Thébaïde* ou d'*Alexandre*, dont les haines étaient immotivées ou qui ne parvenaient pas à se haïr, sont ainsi remplacés par des personnages qui accèdent à l'existence dramatique. La deuxième génération contient en germe la mort du Père et permet ainsi à la cérémonie poétique de renouveler, en paraissant la contredire, la cérémonie dramatique. Comme personnage, le père était dangereux ; il contenait, au moins en puissance, la figure de meurtrier de son fils. A l'inverse, la réflexion poétique sur la deuxième génération impose la mort de

ce père. Qui l'a tué ? Ce n'est pas forcément son fils. Toutefois, l'exigence de tragique implique l'existence et la
recherche d'un coupable. Croyant faire la part de l'histoire
comme on fait la part du feu, la cérémonie poétique se
condamne à retrouver des problèmes historiques, habillés
du vêtement, peut-être trompeur, de la culpabilité.

Les dimensions créatrices

A / UN MONDE DE MIROIRS

Un autre domaine poétique apparaît lorsqu'on s'avise que la cérémonie, qui peut être la mise en scène de l'histoire, entre aussi avec elle dans un rapport dialectique d'opposition. En effet, l'histoire est unique ; aucun événement ne se répète jamais. A l'inverse, la cérémonie est répétable, et peut-être même est-ce la possibilité de répétition qui constitue l'histoire en cérémonie. Si le vrai tragique est un fait, à la fois réel et unique, la cérémonie est un spectacle susceptible, à certaines conditions, d'être donné plusieurs fois. Si le fait seul est vrai, la cérémonie, qui, comme on dit fort justement, le re-présente, introduit l'art par cette duplication. Les répétitions sont donc les conséquences esthétiques des contradictions dans un monde contraint à l'ordre poétique. La poésie n'est pas naturelle, la cérémonie nie la nature. Or Racine a souvent substitué à l'unicité du fait historique une dialectique de la duplicité dont la nature cérémonielle doit apparaître. Ce qui est bon à dire pour une « action mystérieuse » est bon à répéter. C'est pourquoi Mallarmé dira de la cérémonie du Livre que « chaque texte de l'Œuvre est donné deux fois ». Les répétitions de Racine ne sont pas textuelles, mais son originalité et même son étrangeté éclatent particulièrement dans le jeu de dualités qui structurent en couples des personnages, des situations, voire des mots.

Qu'un même être dramatique, personnage ou situation, puisse tirer un surcroît de force d'une répétition, par une ressemblance qui reste à expliquer, en deux niveaux du développement théâtral, c'est ce que montre l'exemple célèbre de la légende d'Amphitryon. Cette légende est, certes, extérieure à l'œuvre de Racine, mais non à son époque : l'*Amphitryon* de Molière a été créé entre *Andromaque* et les *Plaideurs*, donc en un temps où Racine s'intéressait nécessairement aux problèmes du genre comique. Pour les retrouver dans l'univers tragique, il n'a d'ailleurs pas attendu l'exploitation qu'en a proposée Molière. Sa *Thébaïde* est fondée sur la ressemblance des frères ennemis, égaux en insensibilité, en ambition, en origine incestueuse, et, de plus, jumeaux. Jocaste fait assez clairement allusion à leur ressemblance physique lorsqu'elle leur dit :

> Tous deux dans votre frère envisagez vos traits[1].

Lorsque Etéocle refuse de partager le trône avec son frère, il se fonde sur l'idée qu'on y serait pressé « d'un autre soi-même »[2] : c'est l'image d'un sosie. Plus tard, lorsque la tradition ne fournit pas à Racine une ressemblance de cet ordre, il en invente, et cette ressemblance est toujours signe de mort. C'est lui, et non Tacite, qui déclare Britannicus « frère » de Néron ; de fait, les deux jeunes gens sont proches par l'âge, par la situation sur l'échiquier politique, par l'attirance pour une même femme ; et l'un tue l'autre. Iphigénie n'a pas de sœur. Elle s'en invente une en Eriphile, qui, comme elle, aime Achille. Et de ces deux sœurs dangereuses, le drame hésite longtemps à dire laquelle finira par tuer l'autre. Plus parfaite encore, et pour cause, est la dualité dans l'identité entre l'enfant du songe d'Athalie et celui qu'elle voit dans le temple :

> J'ai vu ce même enfant dont je suis menacée,
> Tel qu'un songe effrayant l'a peint à ma pensée.
> Je l'ai vu : son même air, son même habit de lin,
> Sa démarche, ses yeux, et tous ses traits enfin[3].

La ressemblance, ici, est signée par Dieu lui-même.

1. Vers 981.
2. Vers 1174.
3. Vers 535-538.

Mais, comme souvent, c'est dans *Phèdre* que s'épanouissent le plus pleinement des schèmes épars dans les autres tragédies de Racine. *Phèdre* est proprement la tragédie de la ressemblance. La plus visible, mais non la seule, de ces ressemblances, celle d'Hippolyte à son père, n'est pas une invention délirante de Phèdre lorsque, sous ce masque, elle fait comprendre son amour à son beau-fils. Elle doit s'entendre d'une véritable ressemblance physique, puisque Phèdre, parlant à Œnone et dans un moment d'absolue sincérité, dit du fils :

> Mes yeux le retrouvaient dans les traits de son père[4].

Aussi bien les deux hommes ont-ils en commun le goût des exercices physiques, et en particulier de la chasse. Plus poussée sera leur ressemblance et plus sera accentuée la dimension paternelle de la tragédie de *Phèdre*, qui par là se rapprochera de *Mithridate*, et mieux sera expliqué l'entraînement de Phèdre, qui ne dit pas en vain de son mari :

> Il avait votre port, vos yeux, votre langage...[5].

Qu'Hippolyte soit un Thésée plus jeune n'est pas une fiction ; il est un élément de la situation qui mérite d'être pris au sérieux.

En un sens différent, Hippolyte et Aricie se ressemblent. Hippolyte a la réputation d'être « insensible »[6] ; tout le monde connaît « le bruit de sa fierté »[7]. L'attitude morale d'Aricie est la même : elle a été « de tout temps à l'amour opposée »[8]. Quand elle rencontre Hippolyte, elle l'aime, et nous explique avec précision pourquoi. C'est l'insensibilité d'Hippolyte à l'amour qui fonde l'amour d'Aricie pour lui :

> J'aime, je l'avouerai, cet orgueil généreux
> Qui jamais n'a fléchi sous le joug amoureux[9].

4. Vers 290.
5. Vers 641.
6. Vers 400.
7. Vers 407.
8. Vers 433.
9. Vers 443-444.

Cette sorte de virginité, bien que récemment démentie chez l'un comme chez l'autre, leur est commune. Ils ont bien la même conception de la vie, et lorsqu'ils l'ont compris ils s'unissent pour tenter d'échapper à un monde hostile.

Si Hippolyte ressemble physiquement à son père et moralement à Aricie, la relation entre celle-ci et Thésée devient plus intéressante encore. En fait, ils se disputent Hippolyte. Il y a entre eux une opposition violente, motivée politiquement par le meurtre des six frères d'Aricie, mais aussi une grande compréhension et une sorte d'étrange tendresse, qui rendra acceptable leur rapprochement final.

La relation entre Phèdre et Œnone est également complexe et intime ; on ne saurait la réduire au rapport conventionnel entre une maîtresse et une confidente. Œnone a été pour Phèdre une nourrice, donc une sorte de mère ; elle est prête à donner sa vie pour elle et, en un sens, elle la donne effectivement. Elle est la seule à pouvoir lui arracher l'aveu décisif, la seule à aller jusqu'au faux témoignage pour tenter de la sauver.

Ressemblances aussi, sans aucun doute voulues et cherchées, dans les situations et dans les mots mêmes. Théramène au début de la pièce fait preuve d'un certain aveuglement lorsqu'il croit qu'Hippolyte redoute sa belle-mère :

> Phèdre ici vous chagrine et blesse votre vue[10]

ou bien lorsqu'il suppose que le prince peut « haïr » les « innocents appas » d'Aricie[11]. A quoi fait écho l'aveuglement bien plus grandiose de Thésée à la fin de la tragédie. Des paroles vaines sont répétées, avec de bonnes intentions, mais les conséquences qu'elles entraînent sont bien différentes. Théramène proclame la légitimité de la liberté amoureuse :

> Enfin d'un chaste amour pourquoi vous effrayer ?
> S'il a quelque douceur, n'osez-vous l'essayer ?
> En croirez-vous toujours un farouche scrupule ?[12]

10. Vers 38.
11. Vers 55.
12. Vers 119-121.

Semblablement, Œnone invoque l'universalité de l'amour :

> Est-ce donc un prodige inouï parmi nous ?
> L'amour n'a-t-il encor triomphé que de vous ?
> La faiblesse aux humains n'est que trop naturelle.
> Mortelle, subissez le sort d'une mortelle[13].

Mais Théramène, en l'absence de Thésée, peut impunément encourager l'amour d'Hippolyte pour Aricie, tandis
qu'Œnone, révoltant le sens moral de Phèdre, ne provoque
que colère et malédiction. Deux fois au moins, le mot
« inimitié » est employé pour suggérer l'amour : Aricie
croit qu'Hippolyte a pour elle de l'inimitié[14], Hippolyte
croit que Phèdre en a pour lui[15], et tous deux se trompent.
Deux fois au moins la notion d'importunité déguise et
révèle à la fois des éléments essentiels du drame. Phèdre
accuse l' « importune main »[16], qui a disposé ses vêtements
et sa coiffure : c'est donc qu'au moment de désespoir qui
marque son entrée en scène elle renie jusqu'à sa féminité.
Non moins grave est l'aveu d'Hippolyte :

> Mon arc, mes javelots, mon char, tout m'importune[17].

Par le même mot, il signifie le désintérêt pour les armes qui
étaient sa raison de vivre et qui auraient pu, au moment du
danger, l'empêcher de mourir. Les ravages de l'amour sont
les mêmes chez les deux personnages.

Un lieu, entre tous, permet d'étranges parallélismes.
C'est la mer. En nettoyant ses rivages, en tuant les monstres
qui souillaient une Grèce présentée comme essentiellement maritime, Thésée s'est acquis la reconnaissance de
Neptune. Sur sa demande, le dieu marin envoie un monstre
plus redoutable que les autres et qui provoque la mort
d'Hippolyte. Cet équilibre qu'inspire la perversité des dieux
se complète par le suicide d'Œnone. En la maudissant,

---

13. Vers 1299-1302.
14. Vers 518.
15. Vers 567.
16. Vers 159.
17. Vers 549.

Phèdre n'a évoqué que de façon vague le « supplice »[18] de sa nourrice. La manière dont Œnone a choisi de mourir, c'est en se noyant. Cette forme de suicide est tout à fait exceptionnelle dans la tragédie française. On ne la trouve guère, avant Racine, que dans la très archaïque *Tyr et Sidon* de Jean de Schelandre, où Cassandre se jette volontairement dans la mer. Dans la légende grecque toute proche du sujet de *Phèdre*, Egée, père de Thésée, s'était lui aussi jeté dans la mer qui prit depuis son nom et s'appela mer Egée ; mais sa motivation était bien différente : il croyait son fils mort, par un de ces malentendus qu'aimait l'époque de *Pyrame et Thisbé* ; nulle malédiction n'intervenait. Œnone maudite cède à Neptune, et son geste apporte au rôle de ce dieu dans la tragédie une nuance supplémentaire. En rejoignant Neptune, Œnone réalise la réconciliation paradoxale, dans la mort, de la maison de Phèdre, dont elle est la nourrice, et de la maison de Thésée, que Neptune protège. Elle s'est sacrifiée, mais en vain, pour que Thésée pardonne à Phèdre. La mort d'Hippolyte, puis le suicide de Phèdre vont orienter la tragédie vers un autre dénouement. Mais celui qui commence avec la mort d'Œnone est si peu commun que Racine a éprouvé le besoin d'en préciser trois fois la localisation. Panope annonce :

> Dans la profonde mer Œnone s'est lancée[19].

Puis :

> Et les flots pour jamais l'ont ravie à nos yeux[20].

Phèdre, au moment de mourir elle-même, rappelle encore qu'Œnone

> A cherché dans les flots un supplice trop doux[21].

Dans la profonde mer... Il est peu probable que Racine ait pu croire qu'un gouffre marin s'étendait devant l'aimable

18. Vers 1320.
19. Vers 1466.
20. Vers 1468.
21. Vers 1632.

Trézène. En fait, la mer est particulièrement peu profonde à cet endroit, où une île se présente à peu de distance de la côte. Cette profondeur, comme bien des données sensorielles dans le théâtre de Racine, est métaphysique.

B / SYMBOLISME DE L'ESPACE

Pour que la répétition ou la ressemblance soit poétique et signifiante, il faudra parachever la construction de poésie en faisant échapper à leur inertie les cadres de l'espace et du temps : un lieu évoqué derrière les lieux visibles, un temps tout aussi machiné situeront dans son vrai monde, essentiellement virtuel, la cérémonie racinienne.

L'espace et le temps ont pour fonction, non d'être véridiques, mais d'ordonner la répétition en une cérémonie. Loin d'être pour Racine des données de la nature, ils ne sont qu'un cadre, et l'encadrement auquel leur créateur les contraint exalte la cérémonie théâtrale par une action factitive, donc poétique. L'espace n'est pas l'espace ; il se conforme, pour la glorifier, à l'image qu'il entoure. Semblablement, le temps est injuste : rejetant l'illusoire ou l'irréel dans le passé ou l'avenir, il multiplie à l'infini la richesse du présent poétique.

La géographie des tragédies de Racine est rigoureuse, non point au sens où elle s'efforcerait d'obéir à quelque précision scientifique, mais en ce que les lieux, jamais évoqués en vain, s'insèrent constamment dans un ensemble cohérent de suggestions poétiques dont la leçon est celle même de l'action proposée. Tous les lieux raciniens sont symboliques. Certes, bien des intrigues sont localisées par la tradition dans des capitales fort connues dont le choix était pour Racine quasi obligé : Thèbes, Rome, Constantinople, Suse ou Jérusalem. Mais dans deux cas l'action se situe dans un camp, c'est-à-dire, comme pour la Pologne de Jarry, nulle part. *Alexandre* et *Iphigénie* ne doivent pas ce parti pris à une situation militaire qui aurait aussi bien pu s'accommoder de la présence des personnages dans une ville, comme c'est le cas pour *Bajazet*. On y verrait plutôt la volonté de souligner par l'incertitude du lieu celle des difficiles problèmes moraux qui sont proposés et auxquels aucune solution *a priori* ne peut être trouvée, celui de la gloire d'Alexandre et des rois qui lui sont opposés, et celui du sacrifice d'Iphigénie. Plus curieuses encore sont trois autres localisations par lesquelles la tragédie s'enferme dans des petites villes dépourvues de tout prestige historique, Buthrote en Epire, Nymphée, dont le texte doit assez longuement préciser qu'il s'agit d'un « port de mer sur le Bosphore Cimmérien dans la Chersonèse Taurique », et Trézène, semblablement définie comme « ville du Péloponnèse ».

Buthrote, au nom rocailleux, n'est point nommée dans *Andromaque* ; mais l'Epire y est opposée à la Grèce dès la première scène[22]. Dans ce pays du Nord encore à demi barbare par rapport à la civilisation hellénique règne un Pyrrhus dont Racine reconnaît la « férocité »[23] et qui, Grec dévoyé, s'est tourné contre la Grèce du Sud en s'alliant à ses anciens ennemis. Lieu nordique de la confusion et du reniement, Buthrote est donc symboliquement accordée à l'action dont elle est le cadre, tout en n'étant définie que partiellement par cette action même. Les personnages de *Mithridate*, comme ceux d'*Andromaque*, ont été poussés par les circonstances dans une petite ville qu'ils n'ont pas choisie. A la différence de ceux qui règnent à la suite de leur père dans Rome ou dans Jérusalem, ils ont échoué sans gloire dans ce port obscur où leur destin d'ambulants malmenés par la situation militaire fait prévoir leur inévitable échec. En outre, Nymphée, comme Buthrote, est pour la civilisation ensoleillée de la Grèce une ville du Nord. Monime, au moment où elle croit mourir, souligne bien qu'on l'a arrachée « du doux sein de la Grèce » pour la traîner dans

22. Voir en particulier les vers 10, 12, 22, 33 et 34.
23. Première Préface d'*Andromaque*.

« ce climat barbare » et qu'elle regrette amèrement les
« peuples heureux »[24] de son enfance, à savoir « Ephèse et
l'Ionie »[25]. Le transfert vers le Nord est déjà introduction à
la tragédie.

L'image poétique de Trézène est plus complexe, parce
qu'elle évolue au cours de la tragédie de *Phèdre*. Ville du
Péloponnèse, donc du Sud, blottie au fond d'un golfe
profond que protège l'île de Poros, elle apparaît d'abord
comme une image radieuse de pureté. Le deuxième vers
de la tragédie nomme « l'aimable Trézène ». Un peu plus
loin, Théramène évoque encore ces « paisibles lieux », chers
à l'enfance d'Hippolyte et dont celui-ci préférait le séjour

> Au tumulte pompeux d'Athène et de la cour[26].

C'est dans la campagne de Trézène qu'Hippolyte se livrait
aux exercices sportifs qui constituaient, avant l'invasion de
l'amour, son occupation exclusive · conduire des chars,
dompter des chevaux ou chasser[27]. Vision déjà rousseauiste
d'innocents divertissements marqués par la vertu et opposés
à la vaine agitation des grandes villes... De ce royaume de
vertu, Hippolyte est le roi ; il ne s'agit pas d'une royauté
métaphorique, mais d'un véritable pouvoir de gouvernement, transmissible héréditairement et reconnu sans difficulté par le peuple ; on le voit bien lorsque, à l'annonce de
la mort de Thésée, Hippolyte est immédiatement considéré
comme roi de Trézène. Œnone l'affirme d'abord :

> Roi de ces bords heureux, Trézène est son partage[28].

Hippolyte lui-même le confirme à deux reprises : Trézène,
dit-il, est « mon partage » et, plus loin : « Trézène m'obéit »[29].
Hippolyte, jusque-là, règne donc sur un lieu de bonheur.

24. Vers 1525-1527.
25. Vers 251.
26. Vers 30 et 32.
27. Vers 129 à 133.
28. Vers 358.
29. Vers 477 et 505.

Mais, Racine le dit en propres termes, « tout a changé de face » lorsque les dieux ont envoyé Phèdre « sur ces bords »[30]. Pressé par les plaintes de Phèdre, Thésée avait d'abord exilé son fils[31] : et le lieu que, peut-être par indulgence, il lui avait assigné pour résidence est Trézène. Un peu plus tard, l'imprudent a lui-même conduit sa femme dans cette même Trézène[32], ravivant ainsi la flamme coupable de Phèdre. Enfin, partant pour l'Epire, Thésée a confié Phèdre et Aricie à la garde d'Hippolyte[33]. Tous les éléments du drame convergent ainsi vers le même lieu scénique qui, embrasé par la passion, ne peut conserver sa pureté primitive. Il devient un « rivage malheureux »[34], un

> lieu funeste et profané
> Où la vertu respire un air empoisonné[35].

Ce qui a empoisonné et profané un lieu naguère aimable, c'est, sans parler de l'erreur judiciaire de Thésée qu'Hippolyte ne reproche jamais à son père, la passion de Phèdre : c'est à Trézène plus qu'ailleurs que la conscience de Phèdre a rêvé l'inceste et l'adultère. Le lieu parle donc le même langage que l'action ; il en épouse étroitement l'évolution.

Le décor original, dont, pour une fois, nous connaissons un aspect précis, apporte une nuance supplémentaire. En 1678, donc l'année suivant celle de la création de la pièce, le décorateur demandait, au lieu de l'habituel « palais à volonté » qui suffisait à la plupart des tragédies, un « palais voûté », et cette indication a été, pour autant que nous sachions, implicitement approuvée par Racine. Pourquoi voûté ? Il y a là fidélité à un détail du texte, puisque Phèdre dit :

> Il me semble déjà que ces murs, que ces voûtes
> Vont prendre la parole et, prêts à m'accuser,
> Attendent mon époux pour le désabuser[36].

30. Vers 34-36.
31. Vers 293-296.
32. Vers 302.
33. Vers 929-931.
34. Vers 267.
35. Vers 1359-1360.
36. Vers 854-856.

Mais il ne suffit pas de constater cet accord et de se contenter
de ce que le texte prouve le lieu et le lieu prouve le texte,
ce qui ressemble fort à un cercle vicieux. Il faut plutôt
observer que la voûte est un élément de décor tout à fait
exceptionnel. Habituellement, le palais tragique n'est couronné ni par une voûte ni par un plafond ni par un toit.
Il est ouvert et surmonté de toiles représentant des nuages.
Bien que peu satisfaisant pour la vraisemblance, le procédé
permet, dans la tragédie à machines et dans l'opéra, la
descente et la remontée de dieux célestes qui viennent participer à l'action. Racine n'avait nulle intention de faire
sauver sa Phèdre par quelque Jupiter. Il a préféré l'enfermer
dans ce qui ne peut paraître au spectateur du XVIIe siècle
que comme une prison. Dans le même palais-prison se
débattent Hippolyte exilé et Phèdre en villégiature. Ils
n'en sortiront que pour mourir.

Le lieu racinien est valorisé, non seulement pour s'adapter à la fable de chaque tragédie, mais pour se définir par
rapport au problème essentiel, celui de la mort. A cet égard,
c'est *Bajazet* qui apporte la solution la plus décisive. Les
personnages ne peuvent continuer à mener une vie précaire
que s'ils parviennent à rester dans le lieu de la scène. Toute
sortie est un signe de mort. « Gardez de me laisser sortir »[37],
dit Roxane à Bajazet. Et quand elle a posté les muets dans
la coulisse, elle prévient clairement le spectateur de la portée
des déplacements de Bajazet : « S'il sort, il est mort »[38].
Le « Sortez »[39] ne laisse donc aucun doute. Aucune tragédie
n'organise avec pareille sécheresse démonstrative le contraste
entre la scène qui est vie et la coulisse, lieu de la mort.

Dans *Andromaque*, le lieu de la mort est le temple où
Pyrrhus va célébrer son mariage avec Andromaque. Par une
équivoque tragique que reprendra *Iphigénie*, l'autel nuptial
devient autel du sacrifice. A cet autel, Hermione s'imagine

37. Vers 539.
38. Vers 1456.
39. Vers 1564.

à plusieurs reprises portant elle-même à Pyrrhus le coup
mortel :

> Je m'en vais seule au temple où leur hymen s'apprête.
> ...
> Là de mon ennemi je saurai m'approcher.
> Je percerai ce cœur que je n'ai pu toucher[40].

Et encore :

> Quel plaisir de venger moi-même mon injure,
> De retirer mon bras teint du sang du parjure...[41].

Enfin :

> Que de cris de douleur le temple retentisse.
> De leur hymen fatal troublons l'événement,
> Et qu'ils ne soient unis, s'il se peut, qu'un moment[42].

A mots couverts, elle menace Pyrrhus de ce dénouement,
qu'il est réservé à Oreste de mettre en œuvre :

> Porte au pied des autels ce cœur qui m'abandonne ;
> Va, cours, mais crains encor d'y trouver Hermione[43].

L'inverse du temple, dans cette dialectique entre mort
et vie, est le palais qui est le lieu de la scène. Dans ce palais,
on ne se déchire qu'en paroles. Se demandant quels sont
les vrais sentiments de Pyrrhus au moment où, dans le
temple, il se prépare à épouser Andromaque, espérant des
remords ou des regrets, Hermione pose la question :

> N'a-t-il point détourné ses yeux vers le palais ?[44].

Astyanax, dont le destin hésite pendant toute la pièce entre
la vie et la mort, est symboliquement mené, au Ve acte,
dans un lieu neutre ; on le conduit

> Dans un fort éloigné du temple et du palais[45].

40. Vers 1241-1244.
41. Vers 1261-1262.
42. Vers 1486-1488.
43. Vers 1385-1386.
44. Vers 1444.
45. Vers 1456.

Mais le meurtre de Pyrrhus détermine un reflux du « peuple assemblé »[46] contre les éléments grecs retranchés dans le palais. Ainsi le palais entre dans la zone d'influence du temple, et l'espace signifie que la mort approche. C'est pourquoi Pylade dit à Oreste :

> Il faut partir, seigneur. Sortons de ce palais
> Ou bien résolvons-nous de n'en sortir jamais[47].

Dans *Bérénice*, les fonctions poétiques du palais impérial sont normalisées. Le lieu de la scène est le lieu de l'amour : cabinet situé entre l'appartement de Titus et celui de Bérénice, il est en outre décoré des initiales entrelacées des deux amants[48]. La décision de Titus fait de ce lieu de la constance un lieu de l'abandon. C'est « en ce lieu »[49], en ce lieu sacralisé, et non ailleurs, que Bérénice, pour être vraiment convaincue, a voulu entendre Titus lui imposer une absence éternelle. En sortir signifiera pour chacun des personnages renoncer à l'espoir d'être heureux, trouver dans l'univers extérieur hostile, non la mort, mais le malheur durable qui en est le substitut.

Iphigénie reprend un problème que la *Thébaïde* avait posé en termes beaucoup plus simples. Pour respecter l'unité de lieu dans un sujet fondé sur la lutte entre deux armées, la *Thébaïde* prenait deux précautions. La première, utilisant une tradition qui remontait au moins à l'*Horace* de Corneille, était de faire raconter les combats par quelqu'un qui les avait observés du haut de la muraille. L'autre impose de situer dans le palais d'Etéocle, où se passe la scène, toutes les entrevues entre les deux frères ennemis. Ce n'était pas facile, et le jeune Racine y insistait un peu trop. Polynice demande une entrevue et propose, « ou de venir ici »[50],

46. Vers 1586.
47. Vers 1583-1584.
48. Vers 1324-1325.
49. Vers 1109.
50. Vers 789.

ou d'attendre en son camp. Etéocle veut aller chercher son frère. Jocaste s'interpose :

> Mon fils, au nom des dieux,
> Attendez-le plutôt, voyez-le dans ces lieux.

Etéocle consent :

> Hé bien! madame, hé bien! qu'il vienne, et qu'on lui donne
> Toutes les sûretés qu'il faut pour sa personne[51].

De même deux lieux sont possibles pour *Iphigénie* : celui du sacrifice et la tente d'Agamemnon. Un auteur préclassique n'aurait pas renoncé aux effets pathétiques permis par le premier. Racine, en choisissant le second, évite les problèmes de mise en scène posés par la représentation du sacrifice et par toute l'armée qui y assiste, mais s'impose de rendre compte des raisons pour lesquelles tel personnage est présent ou absent dans celui des deux lieux où la vraisemblance voudrait qu'il se trouve. Ainsi Iphigénie doit-elle expliquer à Achille l'absence de son père à la fin du IIIe acte :

> Surpris, n'en doutez point, de mon retardement,
> Lui-même il me viendra chercher dans un moment[52].

De fait, c'est ce que le spectateur peut voir à la scène III de l'acte suivant. Cet inconvénient mineur est compensé par un avantage plus important : le sacrifice, auquel les personnages ne cessent de penser, est plus angoissant par son éloignement que s'il était évoqué de façon réaliste. En tout cas, la disposition de la scène montre clairement que la mort est dehors et que c'est le lieu représenté qui est valorisé.

Phèdre, dans ce domaine comme dans bien d'autres, apporte des solutions plus complexes que les autres tragédies de Racine, ne serait-ce que parce qu'à côté du lieu représenté par le décor, elle évoque de nombreux autres lieux, dont

51. Vers 809-812.
52. Vers 1067-1068.

chacun a sa coloration affective. Il y a des lieux d'innocence,
dont le plus intéressant, souvent allégué, est la forêt. Phèdre
voudrait être assise à son ombre[53] ; Hippolyte y retrouve
l'image d'Aricie[54] ; Phèdre imagine que les deux jeunes gens
y cachent leur amour[55]. Mais la forêt signifie aussi la matérialité, l'ignorance de la civilisation. Phèdre dit d'Hippolyte :

> Nourri dans les forêts, il en a la rudesse[56].

Et c'est « dans les forêts »[57] qu'Hippolyte, chasseur, a
marché sur les traces de son père. Le « temple sacré formidable aux parjures »[58] qui se trouve aux portes de Trézène
est un autre lieu d'innocence, du fait que la mort y frappe
inévitablement quiconque est parjure ; c'est une sorte de
faux paradis, que les amants n'atteindront pas.

Les images des lieux de mort sont plus variées encore.
Le labyrinthe qu'évoque Phèdre[59] est sans doute la plus
célèbre, mais non la plus employée. L'enfer lui est, avec
insistance, préféré. Le bruit populaire veut que Thésée y
soit descendu avec Pirithoüs, et Ismène consacre six vers[60]
à rapporter cette version de l'absence du roi. Phèdre en
emploie quatre[61] à dire qu'il n'en reviendra pas. Mais en
réalité, comme on l'apprend dès le retour de Thésée, sa
destination était, non l'enfer, mais l'Epire : pays suspect
depuis *Andromaque*. L'équivoque sur l'Achéron, fleuve du
Nord et fleuve des enfers[62], permettait le passage de l'un à
l'autre, en même temps que l'étrangeté des aventures de
Thésée et de Pirithoüs à la cour d'Epire suggérait un
paysage infernal ; aussi bien la prison des deux voyageurs

53. Vers 176.
54. Vers 543.
55. Vers 1236.
56. Vers 782.
57. Vers 933.
58. Vers 1394.
59. Vers 649-650.
60. Vers 383-388.
61. Vers 623-626. Voir aussi le vers 635.
62. Vers 12 et 626.

était-elle voisine de « l'empire des ombres »[63]. Dernier tableau de l'enfer, bien que sans localisation géographique possible : le tribunal de Minos, longuement évoqué par sa fille Phèdre[64].

Le fait que tous ces lieux poétiques échappent aux servitudes de la mise en scène permet d'en diversifier les fonctions et de prévoir, à côté des lieux d'innocence et des lieux de mort, des lieux en quelque sorte intermédiaires, qui sont les lieux du danger. D'où l'importance des frontières, et en particulier des rivages, frontière avec une mer redoutée comme origine des périls que symbolise Neptune. Si Thésée prescrit à son fils un lointain lieu d'exil, ce sera « par-delà les colonnes d'Alcide »[65] qui à la fois sont les frontières du monde connu et permettent de rappeler une fois de plus la figure d'Hercule, archétype de Thésée. Si Hippolyte quitte Trézène, il suit, tout pensif, « le chemin de Mycènes »[66], c'est-à-dire qu'abandonnant le triangle des Etats sudistes constitué par Athènes, Trézène et la Crète, il se dirige vers l'importante capitale de l'époque archaïque dans le premier des Etats du Nord. Mais le plus important et le plus souvent mentionné des endroits dangereux, du point de vue de Trézène, est Athènes. Elle est à la fois le lieu de la première rencontre de Phèdre et d'Hippolyte[67], donc un danger pour Phèdre, une ville dont le poids politique est considérable et qui penche pour Phèdre et son fils[68], donc un danger pour Hippolyte, et une capitale brillante et corruptrice[69], donc un danger pour Phèdre et pour Hippolyte.

Esther renonce, en raison de la circonstance exceptionnelle, à l'unité de lieu et retrouve, avec la pluralité des lieux de l'époque préclassique, sa relative inefficacité. Toutefois, même dans ce cas, la signification poétique des lieux repré-

---

63. Vers 966.
64. Vers 1277-1288.
65. Vers 1141.
66. Vers 1501.
67. Vers 272 et 1027-1028.
68. Vers 325-328, 359-360, 485, 498-500 et 722-727.
69. Vers 32.

sentés reste identique. Le Ier acte, qui se joue dans « l'appartement d'Esther », voit celle-ci, malgré les dangers qui la
menacent, jouir d'une certaine sécurité. Au IIe acte, le péril
se précise, au point qu'Esther risque la mort. Mais justement, le décor a changé et représente maintenant la salle du
trône d'Assuérus. Tout se passe comme si cette translation
dans l'espace entraînait avec elle le salut de l'héroïne : le
malheur ne l'atteint plus et reste à l'extérieur. Au IIIe acte,
le décor évoque un espace double : un jardin, lieu de l'action,
et, contigu à lui, une salle où l'on doit supposer que prendra
place un festin, occasion, comme dans *Britannicus*, d'une
équivoque tragique. En demeurant dans le jardin, où les
autres personnages viennent la rejoindre, Esther est finalement sauvée. Enfin *Athalie* marque la fidélité de Racine à
son schématisme de l'espace. Comme dans *Andromaque*, deux
lieux sont attribués à deux partis ennemis, le temple et le
palais. Mais ici la scène est dans le temple et le danger vient
du palais. Le temple, forteresse militaire, est le refuge des
Juifs, et ils se gardent bien d'en sortir. Athalie, puissance de
mort, a l'imprudence de quitter son palais pour s'aventurer
dans le temple et y trouve la mort.

La tragédie narre donc constamment le conflit entre un
espace intérieur, celui de la scène, qui est bon, et un espace
extérieur, celui de la coulisse, qui recèle la mort. Celle-ci
intervient quand l'un des espaces envahit l'autre, quand la
frontière, toujours fragile, cède. En ce sens, la tragédie est
une mise en espace des derniers instants du personnage.

Dans le détail, les fonctions des lieux représentés ou
suggérés sont d'une grande souplesse et tendent toujours
vers les solutions les plus élégantes et les plus légères. Une
sorte de sublimation de l'espace permet d'évoquer presque
sans matière les actions indispensables. Pour empêcher que
le contre-ordre d'Agamemnon parvienne à Clytemnestre et
à Iphigénie, point n'est besoin de déplacer un personnage :
l'espace joue ce rôle, et des « bois », une « obscurité »[70]

70. Vers 341-344.

suffisent à égarer. La prison avait posé dans la première moitié du XVIIe siècle des problèmes de mise en scène délicats, et il était malaisé de la représenter, surtout si l'on ne disposait que d'un décor. Racine y renonce, et il lui suffit que ses personnages soient plus ou moins explicitement prisonniers dans le palais de leurs maîtres, comme Andromaque, voire Hermione, ou comme Junie, voire Britannicus. Parfois aussi il exténue le lieu le plus possible, il recherche une sorte de lieu zéro, ou, si l'on ose dire, de non-lieu. Le comble de cette austérité est offert par l'espace de *Bajazet*. Le sérail est le lieu le plus pur qui soit, en ce qu'aucun personnage masculin ne devrait s'y trouver et que par conséquent sa seule vue pose à la fois les problèmes poétique, dramatique et tragique ; aussi les premiers vers de la tragédie doivent-ils expliquer pourquoi on est dans un lieu si exceptionnel :

> Et depuis quand, seigneur, entre-t-on dans ces lieux
> Dont l'accès était même interdit à nos yeux ?
> Jadis une mort prompte eût suivi cette audace[71].

Racine s'est aperçu à cette occasion qu'une action complexe n'exigeait pas de nombreuses salles de palais et pouvait fort bien se dérouler dans un décor si outrageusement simple. Aussi a-t-il repris cette solution dans les pièces suivantes : *Mithridate* se joue « à Nymphée », sans autre précision, et il faut attendre le Ve acte pour qu'apparaisse la mention d'un « palais »[72], qui n'est ni différencié ni relié à un extérieur ; pour *Iphigénie*, il suffira de même d'un camp militaire, géographiquement assez vide, comme c'était déjà le cas pour *Alexandre*.

Mais ailleurs, si le décor est unique, l'espace, lui, est subdivisé en plusieurs lieux différents dont chacun a sa fonction. *Britannicus* implique trois de ces lieux, disposés de façon concentrique. Au centre, les appartements secrets, ou

71. Vers 3-5.
72. Vers 1580.

du moins privés au sens le plus fort de ce terme, de Néron ;
Agrippine n'a pas le droit d'y pénétrer, et Britannicus y
mourra ; c'est le lieu du pouvoir. Autour, d'autres appartements impériaux, que le décor représente et qui permettent
des contacts entre le Palais et l'extérieur. Plus loin encore,
cet extérieur, Rome, qui comprend, parmi ses bâtiments, le
temple des Vestales ; Junie pourra s'y réfugier et Narcisse
y mourir. C'est dire que le pouvoir de Néron, qui va en
décroissant à partir du centre, ne se manifeste plus guère aux
extrémités de cet espace symbolique. Pour la pièce suivante,
Bérénice, il n'est plus besoin de temple ni de prison, puisque
les personnages ne meurent pas et ne tentent pas de s'enfuir
subrepticement. Il suffit d'un palais ; mais ce palais, comme
le précédent, a une structure tripartite. Au centre, le lieu
d'amour, le « cabinet », décoré de leurs initiales entrelacées,
où Titus et Bérénice se retrouvent dans l'intimité ; d'un
côté l'appartement de Titus ; de l'autre, celui de Bérénice ;
l'extérieur n'est pas utile.

D'autres pièces supposent à la fois un temple et un
palais, et répartissent de façon variable le bonheur et le
malheur entre ces deux lieux traditionnels. Si dans *Andromaque* le palais reste presque jusqu'à la fin un lieu de sécurité
et que le temple au contraire voit mourir Pyrrhus et Hermione, c'est la solution inverse qui est adoptée dans *Phèdre* :
c'est au palais qu'Hippolyte est maudit et que Phèdre meurt,
alors que le « temple sacré formidable aux parjures »[73]
pourrait sauver Hippolyte et Aricie ; mais ils n'y parviennent
pas. De même, dans *Athalie*, le temple, véritable ville,
apporte aux Juifs le salut et même la victoire, alors que le
palais d'Athalie ne signifie que la mort.

Il y a donc une répartition, implicite mais assez claire,
des lieux terrestres : les uns sont bénéfiques, les autres malé-
fiques. Par contre, la mer, souvent alléguée dans le dialogue,
est constamment mise en accusation. Si elle ne tue guère
dans le théâtre de Racine qu'Œnone et, indirectement,

73. Vers 1394.

Hippolyte, elle est responsable aussi de bien d'autres malheurs. Comme ses contemporains, Racine craignait les dangers de la mer et n'éprouvait aucunement pour elle la curiosité esthétique qui ne se développera que longtemps après lui. Il ne fera rien pour la connaître, même lorsque, jeune et oisif, à Uzès, il en sera tout proche. Dans ses tragédies, la mer est une force mauvaise. Elle sépare Oreste de Pylade :

> Depuis le jour fatal que la fureur des eaux
> Presque aux yeux de l'Epire écarta nos vaisseaux,
> Combien dans cet exil ai-je souffert d'alarmes ![74].

Elle permet à Achille de porter la guerre jusqu'aux limites de l'Asie :

> Les malheurs de Lesbos, par vos mains ravagée,
> Epouvantent encor toute la mer Egée.
> Troie en a vu la flamme et jusque dans ses ports
> Les flots en ont poussé les débris et les morts[75].

Elle est l'instrument des malédictions de Clytemnestre :

> Quoi ! pour noyer les Grecs et leurs mille vaisseaux,
> Mer, tu n'ouvriras pas des abîmes nouveaux ?
> Quoi ! lorsque, les chassant du port qui les recèle,
> L'Aulide aura vomi leur flotte criminelle,
> Les vents, les mêmes vents si longtemps accusés
> Ne te couvriront pas de ses vaisseaux brisés ?[76].

Elle suscite dans *Phèdre* l'inquiétant et important personnage de Neptune qui, ne craignant pas le double jeu, est à la fois le maître des chevaux[77] et le responsable, par la frayeur qu'il donne aux chevaux, de la mort d'Hippolyte. Quand la mer ne tue pas, elle sépare irrémédiablement ceux qui s'aiment. L'éloignement des cœurs est moins reproché à l'étendue des

74. *Andromaque*, vers 11-13.
75. *Iphigénie*, vers 233-236.
76. *Iphigénie*, vers 1683-1688.
77. Vers 131.

terres qu'au grand nombre des mers. Ainsi Cléofile dit à
Alexandre :

> Tant d'Etats, tant de mers qui vont nous désunir
> M'effaceront bientôt de votre souvenir[78].

Ainsi Hermione :

> Je n'ai donc traversé tant de mers, tant d'Etats
> Que pour venir si loin préparer son trépas ?[79]

Ainsi Bérénice :

> Dans un mois, dans un an, comment souffrirons-nous,
> Seigneur, que tant de mers me séparent de vous ?[80]

Ainsi Phèdre :

> J'ai voulu par des mers en être séparée[81].

Dans les moindres détails qui le représentent ou le
suggèrent, l'espace racinien a un sens. Ce sens est parfois
précisé par quelques objets que demandent les textes, pourtant peu exigeants à cet égard. Or, dans la mesure, fort
restreinte, où les possibilités de mise en scène des théâtres
du XVIIe siècle le permettaient, Racine a parfois voulu renforcer par des éléments de décor ou des accessoires la signification du lieu représenté par la scène. Les *Plaideurs* sont,
en termes d'espace, le récit des efforts de Dandin pour
s'échapper de la maison où il est enfermé. C'est pourquoi
la liste des accessoires réclamés par le décorateur de 1680
comprend un soupirail, une trappe et une échelle, qui
peuvent être des voies d'évasion. Ces objets impliqués par
ce qu'on appellera plus tard mise en scène sont parfois
non matériels, mais sonores. Au Ve acte d'*Iphigénie*, c'est
par un décor auditif que Racine a voulu évoquer l'impa-

---

78. *Alexandre*, vers 915-916.
79. *Andromaque*, vers 1427-1428.
80. *Bérénice*, vers 1113-1114.
81. *Phèdre*, vers 602.

tience de l'armée et le sacrifice lui-même. Iphigénie dit à sa mère :

> D'un peuple impatient vous entendez la voix[82].

Et quand Clytemnestre veut sortir, ce peuple qui criait est bien près de lui barrer le chemin. Elle s'exclame :

> Mais on se jette en foule au-devant de mes pas[83].

Le sacrifice d'Eriphile est marqué par un grondement de tonnerre qu'entendra Clytemnestre[84], donc que le public peut entendre aussi, et que rapportera Ulysse[85]. *Athalie*, qui n'avait pas à se soumettre aux impératifs commerciaux du théâtre privé, propose une mise en scène plus riche, comprenant en particulier festons et fleurs[86], une « trompette sacrée »[87], le livre de la Loi, le bandeau et le glaive de David[88], un trône[89], des « lévites armés »[90]. Tous ces éléments soulignent que la vraie royauté et la vraie légitimité sont dans le temple, non dans le palais d'Athalie.

Le mouvement d'un personnage dans un lieu, et en particulier son arrivée sur le lieu de la scène, est souvent porteur d'une signification tragique. L'arrivée d'Oreste, comme celle d'Orcan, celle de Mithridate, celle d'Iphigénie, celle de Thésée, met fin au fragile équilibre antérieur et déclenche la tragédie. Le personnage qui apporte avec lui la puissance ou l'aveuglement, ou les deux à la fois, va exciter les passions contenues et provoquer rapidement la catastrophe. Cette catastrophe peut frapper, injustement, l'un ou l'autre des personnages qui n'escomptaient pas cette arrivée, ou bien elle peut frapper le survenant lui-même. C'est le cas en particulier lorsque le personnage n'est pas dans le lieu où il

---

82. Vers 1663.
83. Vers 1668.
84. Vers 1698.
85. Vers 1778.
86. Vers 303.
87. Vers 307.
88. Vers 1241-1246.
89. Vers 1677.
90. Indication scénique qui suit le vers 1730.

devrait être. On n'a des chances d'éviter la tragédie qu'en restant dans un lieu juste. L'erreur sur le lieu est punie, parfois par un certain retentissement discrètement comique, et souvent par la mort. La sanction des déplacements d'Iphigénie est clairement indiquée. Agamemnon, croyant qu'elle ne viendra pas, s'engage explicitement : « Si ma fille vient, je consens qu'on l'immole »[91]. Or elle vient, et Ulysse, fort de cette promesse, fait remarquer au père que son amour « n'a plus d'excuse légitime »[92]. Seul un miracle empêchera Iphigénie, une fois entrée dans le cercle tragique, d'y trouver la mort. Par un mouvement semblable, Phèdre entrera généreusement mais imprudemment, au quatrième acte de la tragédie, dans le lieu de la colère de Thésée. Attirée en scène par les cris de Thésée contre Hippolyte, elle cède au remords et est sur le point de s'accuser elle-même[93], c'est-à-dire de chercher une mort qu'elle aurait évitée en restant dans la coulisse. Œnone, qui la suit, comprend fort bien le danger mortel de ce déplacement. « Epouvantée »[94], « tremblante »[95], elle avouera :

J'ai pâli du dessein qui vous a fait sortir,
J'ai craint une fureur à vous-même fatale[96].

C'est dans *Athalie* que les conséquences de la transgression du lieu sont marquées avec le plus de force. L'arrivée de la reine dans le temple est une sorte de scandale, à la fois religieux, moral et intellectuel. Agar s'en étonne :

Madame, dans ces lieux pourquoi vous arrêter ?[97]

et suggère en vain que la reine regagne son « palais »[98]. La réaction de Mathan est plus énergique encore. Dès qu'il

91. Vers 330.
92. Vers 373.
93. Vers 1167-1174 et 1196-1202.
94. Vers 1197.
95. Vers 1215.
96. Vers 1216-1217.
97. Vers 430.
98. Vers 433.

aperçoit Athalie, il souligne le danger en exprimant une véritable indignation :

> Grande reine, est-ce ici votre place ?
> ...
> Parmi vos ennemis que venez-vous chercher ?
> De ce temple profane osez-vous approcher ?[99].

Athalie ne tient pas compte de ces craintes, pourtant justifiées, et explique sa conduite par le songe qui l'a effrayée et l'a menée sur le lieu même de la scène :

> Voilà quel trouble ici m'oblige à m'arrêter[100].

Ainsi, c'est Dieu même qui l'a trompée. Mathan commettra une erreur semblable, d'ordre spatial elle aussi, lorsqu'il sera sur le point d'entrer dans la « demeure sacrée » des « ministres saints » du culte juif, interdite à « tout profane »[101]. Troublé par la violence de Joad, il ne retrouve même pas son chemin pour sortir[102]. Ces méprises sur les lieux seront durement sanctionnées. Parce qu'ils ont emprunté le mauvais itinéraire, parce qu'ils sont allés là où ils ne devaient pas aller, au lieu de rester, Athalie dans son palais, Mathan dans le temple de Baal dont il est devenu le prêtre, Athalie et Mathan mourront.

La comédie des *Plaideurs* apporte une confirmation à cette analyse du lieu tragique en en proposant la contrepartie. Alors que dans la tragédie le lieu de la scène est généralement lieu d'équilibre, par opposition à la mort qui attend dans la coulisse, comme *Bajazet* le montre de la façon la plus pure, les *Plaideurs* offrent au contraire comme lieu scénique des maisons marquées par le malheur et la folie, mais sous des aspects comiques, et tout l'effort des personnages est pour en sortir. Léandre et Isabelle en

---

99. Vers 459-462.
100. Vers 541.
101. Vers 851-852.
102. Vers 1041-1044.

sortiront en se mariant, ce qui est un dénouement banal de comédie. Dandin fera pour en sortir des tentatives infructueuses, qui s'inscrivent dans l'espace de la comédie : la porte étant fermée, il saute dans la rue par la fenêtre ; puis il siège dans les gouttières, à une lucarne du toit, dans son grenier ; descendant ensuite, on le voit dans une « salle basse », près de la cave, à travers le soupirail[103]. Toutes ces gesticulations montrent bien que l'espace intérieur de la comédie, à la différence de celui de la tragédie, est mauvais, et que les personnages ont raison de vouloir s'en évader. Mais Racine, qui est cruel, ne permet pas à son Dandin de sortir de la maison de la folie.

C / STRUCTURE DU TEMPS

Le temps racinien n'est ni divisible en parties égales qui permettraient de le compter, ni objet d'une contemplation morose ou mélancolique qui valoriserait ou même inspirerait une méditation présente. Il est au contraire extériorisation absolue entre un présent frénétique et un passé, qui s'adjoint parfois un futur, dont la fonction principale est de peser de tout son poids sur la décision présente ; le caractère essentiel de celle-ci devient ainsi l'urgence. Par cette exquise cruauté est affirmé le contenu poétique de la structure temporelle, dont les aspects dramatique et tragique ne sont pas moins évidents.

Le passé est lourd, et même écrasant, parce qu'il contient la totalité de la vie de celui qui l'évoque. L'enfance remémorée rend forcément l'adulte coupable : malheureuse, elle est un présage, heureuse, elle est trompeuse et accuse la faiblesse responsable de la chute. Junie, Atalide, Monime ont eu une telle enfance. Elles n'ont joui que d'un bonheur illusoire, parce qu'éphémère. La promesse même d'un avenir heureux n'a pu être tenue, parce que la mort a frappé la

103. Voir acte I, scène III, acte II, scènes VIII, IX et XI.

figure parentale qui en était le garant. L'empereur Claude voulait que Britannicus et Junie, qui s'aimaient, s'épousent[104] ; mais il est mort, et ce mariage est devenu politiquement impossible. La mère de Bajazet destinait son fils à Atalide[105] ; mais elle est morte, et « après sa mort », les jeunes gens ont été « l'un de l'autre écartés »[106]. La sanction de l'amour juvénile de Xipharès pour Monime est moins nette : une mère y apparaît néanmoins[107]. Si cette mère ne meurt pas, elle disparaît du temps de *Mithridate*, envahi par contre par le puissant personnage du père, qui donne aux événements un autre cours. La fable de *Bérénice*, malgré d'évidentes différences de structure, peut s'interpréter selon le même schème. Le bonheur passé de Titus et de Bérénice reposait, sinon sur la caution, du moins sur la vie de Vespasien. A peine est-il mort que commence la cassure temporelle qui est le sujet même de la tragédie. Que le passé soit un paradis perdu ou une initiation au malheur, il est toujours hallucinant : jamais évocation oiseuse ni calme contemplation, il apparaît sous forme de tableau structuré, où les éclats de lumière et les yeux inquisiteurs sont autant de reproches. La pesanteur et l'inlassable cruauté du passé viennent de ce qu'il est une accumulation infinie d'instants atroces. Le souvenir de Roxane ne lui montre que souffrance multipliée :

> Tant de jours douloureux, tant d'inquiètes nuits.

Certes, l'amour n'est pas toujours, comme ici, « aveugle »[108] ou aveuglé. Mais, rejeté dans un passé révolu, l'amour heureux est tout aussi vain que le tourment de la frustration. Il lui a fallu, pour lentement mûrir, toute la vie antérieure du personnage, mais une fois parfait, il ne connaît que la déception tragique.

---

104. Vers 557-558.
105. Vers 361-363.
106. Vers 364.
107. Vers 195-196.
108. *Bajazet*, vers 1071-1072.

C'est ce qu'expriment, comme de dérisoires étiquettes temporelles, les points de repère qui jalonnent parfois les torrents de la passion et du malheur. Quand la patience — qui n'est autre que résistance au temps — d'un personnage atteint plusieurs années, on peut être assuré qu'elle ne sera pas récompensée et qu'elle n'est que le signe d'un échec. Octavie a espéré quatre ans avoir un enfant de Néron[109] : en vain ; elle n'en aura pas. Antiochus a aimé Bérénice en silence pendant cinq ans[110] : il n'est pas plus avancé au bout de ces cinq ans, et il l'est même moins, puisqu'il perd le plaisir de la voir. Mithridate a lutté quarante ans contre Rome[111] : c'est pour être finalement vaincu. Les durées plus courtes sont généralement codifiées, et l'intervalle le plus fréquent qui désigne une patience raisonnable est de six mois ; on dit parfois « près de six mois » ou « plus de six mois », mais c'est là, en gros, l'unité de mesure sentimentale ; elle ne sert qu'à rendre plus palpable l'échec impliqué par la situation. Oreste retrouve Pylade et Esther Elise après six mois[112] ; mais une première satisfaction ne diminue en rien les périls qui menacent les héros. Néron n'a été reconnaissant envers sa mère que pendant six mois[113] : courte trêve, qui ne modifie pas le véritable naturel de l'empereur. Roxane a cru pendant six mois à l'amour de Bajazet pour elle et à la sollicitude d'Atalide, mais ces six mois n'ont produit ni connaissance ni maturation ; bien plus, ils apparaissent comme une somme d'erreurs et de douleurs que chaque jour renouvelle :

> Depuis six mois entiers, j'ai cru que, nuit et jour,
> Ardente, elle veillait au soin de mon amour[114].

En prenant au pied de la lettre ce « nuit et jour », cela fait quelque trois cent soixante-cinq actes d'aveuglement... On

109. *Britannicus*, vers 469-473.
110. *Bérénice*, vers 209.
111. *Mithridate*, vers 9, 570, 879 et 910.
112. *Andromaque*, vers 7, et *Esther*, vers 9.
113. *Britannicus*, vers 1198.
114. *Bajazet*, vers 1211-1212.

ne saurait dire que le temps racinien est un grand maître. Six mois, c'est encore, dans *Phèdre*, la durée de l'amour d'Hippolyte pour Aricie[115] et celle de l'absence de Thésée[116]. Qu'ont-ils appris, qu'ont-ils gagné par là ? Rien. Chaque fois qu'est évoqué le temps écoulé, c'est pour diminuer l'instant présent. Ce temps est une marque de la faiblesse humaine. On peut en effet constater que les tragédies religieuses lui échappent dans une large mesure : seul Dieu n'a pas de passé.

Une interrogation de l'avenir produit des résultats analogues. Comme le passé, l'avenir a pour fonction essentielle d'écraser et de culpabiliser le présent. Mais étant donné qu'il est fait d'une matière moins lourde que le passé, puisqu'on peut toujours douter de la réalisation des événements futurs, il faut le remplir de catastrophes, et de préférence de catastrophes attestées par la culture du lecteur ou du spectateur, afin que pour celui-ci l'avenir et ses menaces soient indubitables. On prévoit dans *Britannicus* que Néron tuera sa mère[117], on suggère dans *Iphigénie* qu'Oreste tuera la sienne[118] et dans *Athalie* que Joas tuera Zacharie[119]. Ces crimes rendent plus poétiques, en même temps que plus dramatiques et plus tragiques, les hésitations présentes des personnages qui, parmi d'autres voies possibles, choisissent celle qui mène à ce futur.

L'avenir qui ne se réalise pas, celui qui simplement aurait pu être, mais n'a pas été, n'est pas moins accusateur pour le présent que l'avenir réel. On le voit lorsqu'un personnage, fasciné par les problèmes de l'ici et du maintenant, affirme son intention de partir, mais ne part pas et se laisse engluer par les événements. Hermione est décrite avec justesse comme

Toujours prête à partir et demeurant toujours[120],

115. Vers 539 et 1129.
116. Vers 967.
117. Vers 1676.
118. Vers 1661-1662.
119. Vers 1416.
120. *Andromaque*, vers 131.

et Hippolyte a beau affirmer au premier vers de *Phèdre*
son « dessein » de partir, il reste, pour remplir sa vocation
de victime. On peut rêver à ce que deviendraient les deux
tragédies si Hermione et Hippolyte se retiraient d'un jeu
où ils ne peuvent être que perdants. Dans le non-réalisé,
la victoire est toujours possible, et l'irréel comporte nécessairement la morsure du regret.

Serré entre un passé et un futur oppressants, le présent
doit utiliser cette pression pour paraître comme aussi émouvant que possible. Il y parvient d'abord par sa petitesse.
La règle des vingt-quatre heures, que tant d'écrivains ont
estimée cruelle, trouve ici sa vertu. Mais elle est encore trop
large pour Racine, qui, souvent, ne suppose pas d'événements
extérieurs à la scène et peut par conséquent se contenter
des quelque deux heures que dure la représentation. Quand
l'action exige un événement que la scène ne peut pas montrer, cet événement est traité avec une rapidité fulgurante
et parvient ainsi à ne pas dépasser les limites d'un temps
présent toujours aussi bref et aussi proche de l'instantanéité
que possible. La méditation d'Andromaque sur le tombeau
d'Hector se contente d'un entracte, dont la durée n'est pas
précisée mais peut être minime. Le festin de *Britannicus*
et le sacrifice d'*Iphigénie* n'ont pas recours à ce procédé et
parviennent pourtant à s'insérer dans la continuité du
discours sans distendre la trame temporelle. Le cinquième
acte de *Phèdre* pousse cette rapidité jusqu'à la gageure :
Hippolyte quitte le palais, traverse la ville, franchit les
portes de Trézène, rencontre le monstre marin, essaie en
vain de retenir ses chevaux et meurt ; Aricie survient,
trouve le cadavre d'Hippolyte, s'évanouit ; sa confidente
Ismène la ranime et la console ; Théramène, qui a assisté
à tous ces événements puisqu'il les raconte, revient au palais
royal ; et il nous est demandé de croire que tout cela n'a
duré que le temps de prononcer soixante-seize vers ![121].

La limitation féroce du temps engendre un rythme fré-

121. Vers 1411-1487.

nétique. Non seulement le présent est ainsi réduit à ce que
le spectateur peut constater, mais il est rigoureusement
séparé des autres temps : il n'y a ni hier ni demain, car
demain la tragédie sera finie, et hier il n'a rien pu se passer
de remarquable, sans quoi le fait digne d'être remarqué
aurait été inclus dans la tragédie et se serait donc passé
aujourd'hui. Le passé ne peut être qu'une masse énorme
projetant son ombre sur le présent sans le toucher. C'est
en vain qu'Hermione supplie Pyrrhus de retarder son
mariage avec Andromaque :

> Différez-le d'un jour, demain vous serez maître...[122].

Demain, tous deux seront morts, et cette suggestion contraire
à la poétique de la tragédie ne mérite pas de réponse. A
l'autre extrémité de la carrière de Racine, Abner, naïf militaire, veut, lui aussi, gagner, comme on dit, du temps, et,
ignorant que le temps racinien ne se gagne jamais, il fait
à Joad des propositions inacceptables :

> Donnez-moi seulement le temps de respirer :
> Demain, dès cette nuit, je prendrai des mesures
> Pour assurer le temple et venger ses injures[123].

Lors de la confrontation décisive avec Bajazet, Roxane
affirme :

> Les moments sont trop chers pour les perdre en paroles[124].

Phèdre mourante dit de même :

> Les moments me sont chers ; écoutez-moi, Thésée[125].

Mais en réalité, tous les moments du présent racinien sont
chers. Ce temps rassemble en deux heures des milliers d'informations, de sentiments et de décisions. Chacun de ses
instants, de ses vers et presque de ses mots est un choix

---

122. *Andromaque*, vers 1374. Voir aussi vers 1213-1214.
123. *Athalie*, vers 1638-1640.
124. *Bajazet*, vers 1470.
125. *Phèdre*, vers 1622.

irréversible et engage l'action dans une direction tragique.
Les péripéties sont les grandes secousses du temps présent
et signalent les changements importants d'orientation ; mais
partout et toujours l'action progresse, et ce mouvement per-
pétuel d'un présent seul vivant entre l'avant et l'après qui
le définissent constitue aussi la richesse poétique du texte.
Parfois, Racine fait constater le chemin parcouru, en accusant
la différence décisive entre le matin et le soir de la journée
tragique. Monime compatissait avec tendresse, il y a quelques
heures, c'est-à-dire il y a fort longtemps, aux malheurs
de Xipharès :

> Et lorsque ce matin j'en écoutais le cours,
> Mon cœur vous répondait tous vos mêmes discours[126].

Mais cet après-midi, la situation a changé, et Monime se
prépare à épouser Mithridate. Le raccourci de Phèdre est
plus énergique encore. Elle dit à Œnone :

> Je mourais ce matin digne d'être pleurée ;
> J'ai suivi tes conseils, je meurs déshonorée[127].

La densité du temps racinien vient de ce qu'il inclut la
totalité de l'histoire dans la perception instantanée de
l'aujourd'hui. Séparé par les prestiges de la cérémonie de
la continuité quotidienne du temps, le personnage à la fois
se détache sur son passé et est rétrospectivement éclairé
par un avenir pressenti. N'existant que dans un présent
qui tend vers l'instantané, il a néanmoins, par son épais-
seur, une dimension poétique qui se développe nécessairement dans le paysage de l'histoire. Il n'est donc pas nécessaire, comme dans la forme shakespearienne du théâtre,
que l'on raconte ou que l'on évoque la matérialité du déroulement historique. Le temps qui permet cette contraction
n'est pas un temps vécu. C'est un temps construit. Il est
l'un des aspects qui concourent à la cérémonie théâtrale.

126. *Mithridate*, vers 689-690.
127. *Phèdre*, vers 837-838.

En un sens, rien n'est tout à fait réel et tout est symbolique dans le théâtre de Racine.

Plus que sur l'histoire, le temps racinien est fondé sur la parole. La poésie y est donc présente à chacun des niveaux du développement dramatique ou tragique. Elle permet à la cérémonie de progresser sur un plan qui est indistinctement verbal, imaginaire et pourtant réel. L'équivalence absolue et constante entre le mot et la chose est aussi rigoureuse dans le théâtre de Racine que plus tard dans celui de Marivaux. Dans les deux œuvres, le discours de la pièce se termine nécessairement quand toutes les voies ont été explorées et qu'il n'est plus possible d'agir ni de parler ; dans la tragédie, la forme convenue et fréquente de cette impossibilité est la mort. La cérémonie théâtrale revêt par là un caractère impitoyable et parfait qui en fonde la valeur esthétique : elle aboutit à son propre sacrifice.

Cette lecture permet de mieux comprendre la cassure de 1677, qui embarrasse nécessairement les historiens des idées et les partisans de la sincérité totale. Après *Phèdre*, Racine devient subitement un époux modèle, un historiographe zélé, un chrétien véritable. Son théâtre, construction totalement esthétique et refermée sur elle-même, est devenu comme un objet qui, tombant par son propre poids, n'a plus de place dans sa nouvelle vie ; il s'en détache avec une aisance qui serait surprenante dans une autre perspective. Seule la prise de conscience de son théâtre comme cérémonie, qui peut se vider de sa transcendance si l'histoire l'exige, est capable de rendre raison d'un retournement historique à ce point étonnant que bien des critiques, en l'appelant « conversion », avouent ne pouvoir l'expliquer que par une action divine.

Je ne connais point dans l'univers de la critique de tâche plus difficile que celle de rendre compte du théâtre de Racine. J'ai cherché dans la nuit pendant longtemps et ne pouvais me résoudre à imiter l'intrépidité de mes prédécesseurs. Enfin, les dieux m'ont envoyé la notion de cérémonie et celle-ci, malgré une fragilité que je ne me dissimule pas, aura peut-être fourni un cadre acceptable à mon analyse de la pratique originale de Racine.

Cette notion en effet est d'abord double ; elle permet donc que le tragique soit à la fois suggéré et insaisissable, et que par contrecoup la dramaturgie atteigne le point de rupture dans la violence calculée.

En second lieu, la cérémonie est répétable, ce qui ouvre à la poétique la plus exigeante et la plus précise, avec un traitement nouveau des cadres spatio-temporels, les domaines de l'histoire trompeuse et des inquiétantes ressemblances.

Son caractère essentiel est moins, dans l'usage racinien, sa solennité, sa référence à un au-delà, que son ambivalence, qui, par une démarche méthodologique, devient le fondement de *tous* les ressorts du théâtre de Racine.

Paradoxalement, ceux-ci mettent en œuvre et magnifient une alliance entre les contradictoires : le tragique nie la liberté et se nourrit d'elle, le pouvoir le plus impitoyable est en réalité impuissant, images et paroles dénoncent ceux qui croient s'exprimer par elles, les hommes, les dieux et les monstres s'affrontent avec une fureur que ne dissimulent plus aujourd'hui les prestiges d'une impeccable rhétorique, l'histoire ne nourrit la poésie qu'en s'opposant à elle...

Cet étrange théâtre n'est pas seulement le lieu d'une dialectique retorse. Il est aussi pour la cérémonie le moyen de se constituer en spectacle. Née d'une aspiration à la plus haute cérémonie possible, la tragédie racinienne s'est développée en un rayonnement d'émotions aussi ardentes que contrôlées, puis, entrant dans le passé, elle est devenue, comme toutes les cérémonies, un spectacle — si ce n'est que, par le miracle du théâtre, se reconstitue, à partir du simple spectacle, la véritable cérémonie.

APPENDICES

I

Le tragique dans *Moby Dick*

Si le tragique, comme l'exemple de Racine a pu le
montrer, ne possède qu'un être de mauvaise foi, il doit
être possible de soumettre à un examen critique la notion
de cause tragique dans des œuvres appartenant à des civili-
sations et à des époques différentes, mais qui ont la réputation de recéler, comme le théâtre de Racine, un tragique
véritable. On pourrait ainsi penser à étudier le tragique
et ses éventuels déguisements dans l'*Œdipe roi* de Sophocle,
l'*Hamlet* de Shakespeare ou les *Six personnages en quête
d'auteur* de Pirandello. Il n'y a aucune raison de se limiter
au théâtre, puisque de grands romans passent également pour
présenter des événements que l'on appelle tragiques. On
interrogerait donc volontiers, par exemple, *Crime et châtiment* de Dostoïevsky, la *Montagne magique* de Thomas
Mann ou le *Procès* de Kafka. Je me bornerai à appeler en
témoignage une œuvre aussi éloignée que possible de Racine
par le genre, le pays d'origine et l'époque : un roman amé-
ricain du XIXe siècle.

L'opinion la plus générale des critiques est que le *Moby
Dick* de Melville a pour contenu essentiel le récit de la lutte
tragique, c'est-à-dire métaphysique, c'est-à-dire sans raison
véritablement contraignante, du capitaine Achab (dont le
nom apparaît dans *Athalie*) contre la baleine blanche. Et

il est vrai qu'Achab peut tuer, et tue effectivement, de nombreuses autres baleines et que rien ne l'oblige à chercher celle qui causera sa perte. Mais il faut remarquer que la confrontation entre Achab et Moby Dick, si elle est bien le but lointain de l'ensemble du roman, n'en occupe en fait qu'une petite partie ; elle est comme la mort par rapport à la vie. Melville emplit l'espace disponible par un vaste contenu réaliste : il évoque la vie des futurs marins à terre, il donne de nombreuses indications techniques sur les différentes manières de chasser la baleine, son livre est par endroits un véritable traité de « cétologie ». Par sa grosseur, la baleine, image du monde, pousse le roman qui lui est consacré à devenir gros comme une baleine. Cette somme d'informations n'est naturellement réaliste qu'en apparence : comme dans tous les grands romans, que ce soit par exemple dans la *Montagne magique* ou, chez Flaubert, dans l'*Education sentimentale*, ce réalisme n'est qu'un vêtement, qui désigne autre chose, et recouvre en réalité une réflexion sur l'homme. Ce qu'enseigne *Moby Dick*, c'est que l'homme est un être qui peut créer le sentiment du tragique, et qui peut même créer une situation réelle qu'il appellera tragique. Comment procède l'homme Melville ? Il dispose les faits de son roman de façon qu'ils fassent prévoir la rencontre finale avec Moby Dick et la perte, corps et biens, du baleinier. Mais ces faits sont littéraires, ils sont une fabrication de l'écrivain et, tout en donnant l'impression du tragique, ils ne constituent nullement une cause de la catastrophe. L'homme, parce qu'il est chasseur de baleines, et Achab, parce qu'il *veut* tuer cette baleine-là, donnent à croire qu'ils sont les plus forts. Mais ils ne le sont pas, et, dans l'ordre de la causalité réelle, c'est la baleine qui doit triompher. L'auteur ne l'avoue jamais, sauf dans un passage de son chapitre 41 qui déconsidère de l'intérieur tous les personnages en les dénonçant pour ce qu'ils sont, c'est-à-dire des créations imaginaires de Melville, agencées en vue du but à atteindre. L'aveu est le suivant : « Voici donc ce vieil homme impie et grisonnant, poursuivant de sa malédiction la baleine de

Job à travers tous les océans, à la tête d'un équipage composé
en majeure partie de métis renégats, de parias et de canni-
bales, moralement affaibli encore par l'impuissance à laquelle
étaient réduites la vertu et la droiture sans soutien de
Starbuck, l'insouciance réjouie et inentamable de Stubb et
la médiocrité totale de Flask. » Ces officiers décrits de si
pitoyable façon n'en deviennent pas moins, par leur courage physique et aussi par la vertu du récit, de véritables
héros de l'*Iliade*. Mais c'est une *Iliade* trompeuse, puisque
les prétendus héros y sont vaincus. Melville continue :
« Qu'il eût sous ses ordres un tel équipage semble avoir
été prévu et décidé par une fatalité infernale, complice de sa
folie vengeresse. » *Semble :* la possibilité de l'erreur d'interprétation est orgueilleusement affirmée. En fait, si la résistance de l'équipage est effectivement minée, ce n'est pas
par la fatalité. L'équipage n'est que ce qu'il est. Il n'a pas
changé. S'il est vaincu, c'est qu'il n'était pas le plus fort.

Un autre indice de l'intention de l'auteur apparaît
peu avant que l'équipage se heurte à Moby Dick. Le
chapitre 126 évoque incidemment « l'impatience fiévreuse
suscitée par ce qui semblait être l'approche d'une crise
et du dénouement à leur voyage ». *Semblait*, toujours. Et
ce « dénouement » n'existe que par la volonté de Melville,
soucieux d'apporter une conclusion tragique. Dans la
continuité réelle d'un voyage où l'équipage serait raison-
nablement optimiste, le seul « dénouement » à envisager
serait le retour au port.

Pas plus dans *Moby Dick* que dans le théâtre de Racine,
il n'y a détermination fatale. La perte du baleinier n'est pas
un hasard, mais elle n'est pas non plus exactement nécessaire.
Les faits qui y conduisent sont allusifs, comme la chute
de la statue de Mitys. Le tragique n'est pas réel. Il est une
causalité estompée et une mise en œuvre littéraire.

2

Une mise en scène de *Phèdre*

L'exemple des grands metteurs en scène français a montré depuis quelques années qu'une présentation hardie pouvait, pourvu qu'elle soit juste, renouveler et diversifier l'intérêt pour les pièces classiques. Je m'en suis inspiré pour proposer à des étudiants d'Oxford une mise en scène de *Phèdre* qui à la fois leur fasse mieux comprendre la pièce et leur donne un aperçu des pouvoirs nouveaux du théâtre actuel. J'ai conduit ce travail avec la même exigence que lorsque j'ai scruté, au niveau du texte, les conséquences de la notion de cérémonie, mais naturellement dans un registre et avec des moyens différents. Il s'agissait d'une modernisation et d'une visualisation, poursuivies dans un esprit de grande liberté, ne prétendant à nulle rigueur et ne se présentant que comme une variation parmi bien d'autres qui étaient possibles. J'indique ici les grandes lignes de cette mise en scène.

Le rôle de Phèdre paraissant écrasant pour une étudiante sans grande expérience théâtrale, j'ai pensé à le dissocier en quatre éléments, confiés chacun à une interprète différente et dont chacun se spécialiserait dans un aspect du personnage. Il est en effet possible de découper sans trop d'arbitraire dans le texte une Phèdre malade, une Phèdre sensuelle (bien que luttant contre sa sensualité), une Phèdre morale qui est sans doute la plus importante et, enfin, n'intervenant guère qu'à partir du IVe acte, une Phèdre jalouse. J'expliquais cette structure, ainsi que quelques autres innovations, dans un petit lever de rideau intitulé *Nous nous sommes mis*

en quatre pour vous plaire, dans lequel je faisais dialoguer la
comédienne jouant le rôle de la troisième Phèdre avec
l'auteur, c'est-à-dire Racine. Celui-ci disait : « Il faudra
naturellement faire bien comprendre que ces quatre personnages n'en sont qu'un. Les quatre Phèdre apparaissent
ensemble et ne se quittent que pour laisser les incarnations
plus spécialisées faire ce qui convient à chacune. De la mort
d'une seule, les trois autres doivent mourir. Des sœurs
siamoises, en quelque sorte. » L'avantage du procédé était
souligné par « Racine » : « L'analyse de Phèdre, au lieu
d'être, comme elle l'a toujours été, psychologique, c'est-à-dire
confiée à l'intelligence abstraite, se développe, au moins
en partie, dans l'espace même de la scène. Elle est donnée à
voir, comme il convient au siècle qui a inventé le cinéma. »
Mais ces mouvements et les passages de l'un à l'autre
étaient assez lents, et il fallait gagner du temps par d'abondantes coupures, acceptables parce que tout était centré sur
le personnage de Phèdre. J'avais même cru pouvoir renoncer
à Aricie : elle donne à la pièce une dimension politique que
l'on peut éliminer si l'on mise avant tout sur le sentiment,
l'amour timide d'Hippolyte pour elle n'exige pas véritablement sa présence, pas plus que la jalousie de Phèdre, qui se
contente d'une image, sans aller jusqu'à la personne :
Racine n'a jamais mis en présence Aricie et Phèdre. C'est
pourquoi Aricie peut, dans cette mise en scène, être remplacée par sa photographie. C'est à elle que s'adresse Hippolyte au IIe acte. Il répète, non sans embarras, la déclaration
qu'il compte faire, en une scène plus imaginée que vécue.

    A plus forte raison fallait-il éliminer tous les confidents.
Parmi eux, Théramène pose un problème, sur lequel
« l'auteur » s'explique ainsi : « Partout où il n'est qu'un
confident, il subira le sort des autres confidents. Mais le
récit ! Ce récit de Théramène, morceau d'anthologie à ce
qu'on me dit, est aussi un élément indispensable du dénouement. On ne m'aurait pas pardonné de le supprimer. »
J'ai donc confié ce récit à un personnage muet le reste du
temps et dont la présence scénique s'est révélée riche en

significations : Neptune. Puisqu'il est le maître des chevaux,
on peut le flanquer de deux de ces animaux, qui auront aussi
un rôle à jouer. Il y a certes là un risque, sur lequel les personnages du lever de rideau s'expriment ainsi :

> La comédienne. — Ne craignez-vous pas que ces mimiques,
> ces acteurs qui auront des maillots et des queues et qui henniront,
> ne risquent de faire rire ?
> L'auteur. — Je me suis laissé dire que certains de mes
> confrères, un nommé Shakespeare, un nommé Tchékhov, avaient
> osé mêler le rire ou le sourire aux émotions les plus fortes, et que
> cela ne leur avait pas trop mal réussi.

Parmi les innovations, certes discutables, que permet
l'application de ces principes de mise en scène, quelques-
unes ont pour fonction de souligner l'émotion par des
accents qui ne craignent ni la modernité ni même l'outrance.
Ainsi quand Phèdre avoue son amour à Œnone et que celle-
ci s'écrie « Hippolyte ? Grands Dieux ! », Neptune,
toujours présent, se lève, frappe le sol plusieurs fois de son
trident ; ses chevaux se lèvent aussi, et Neptune les pique
cruellement. Ils font trois tours de piste, puis, debout, se
tiennent par les épaules et regardent Phèdre. Celle-ci,
hystériquement, désignant Œnone de son bras tendu et
parlant de plus en plus fort, dit :

> C'est toi qui l'as nommé.
> C'est toi qui l'as nommé. C'est toi qui l'as nommé.

Quand Phèdre dit à Hippolyte :

> Voilà mon cœur. C'est là que ta main doit frapper.
> Impatient déjà d'expier son offense,
> Au-devant de ton bras je le sens qui s'avance,

on n'a aucun mérite à imaginer, ce qui est presque obligatoire aujourd'hui, qu'elle découvre son sein. Mais c'est le
rôle de Neptune (tragique ! cérémonie !) qui est le plus riche
en effets à la fois émouvants et étrangement didactiques.
Il est déjà là quand Phèdre fait son entrée en scène. Puisque
ses genoux tremblants se dérobent sous elle, elle s'assied

sur le sol. Neptune vient l'inspecter méchamment ; son regard est dur. Il soulève légèrement l'écharpe de Phèdre, sa perruque, sa robe. Œnone dit :

> Dieux tout-puissants, que nos pleurs vous apaisent !

En même temps, elle embrasse les genoux de Neptune. Celui-ci fait non de la tête et hausse les épaules. Au IIe acte, Hippolyte dit à Phèdre, parlant de Thésée :

> Neptune le protège, et ce dieu tutélaire
> Ne sera pas en vain imploré par mon père.

Neptune peut à ce moment approuver bruyamment et se servir encore une fois de son trident. La tirade « Oui, prince, je languis... » peut être ponctuée par des gestes de Phèdre de plus en plus érotiques (elle se caresse, caresse Hippolyte, sanglote et l'embrasse) et se terminer sur un ton triomphant :

> Et Phèdre au Labyrinthe avec vous descendue
> Se serait avec vous retrouvée !

On peut lui laisser quelques secondes pour ce triomphe illusoire. Mais Neptune approche d'un air menaçant et interpose avec force son trident entre Hippolyte et Phèdre. Celle-ci ajoute alors :

> Ou perdue.

Quand Thésée maudit son fils, Neptune se met au garde-à-vous, présente son trident comme si c'était un fusil et ricane. Thésée lui rappelle sa promesse :

> Souviens-toi que pour prix de mes efforts heureux
> Tu promis d'exaucer le premier de mes vœux.

Neptune fait oui de la tête, avec bienveillance. En disant : « Je t'implore aujourd'hui », Thésée s'agenouille. Neptune fait « Tstt, tstt » et présente à Thésée son trident horizontalement. Thésée s'y accroche et se relève. Neptune salue Thésée et sort au pas cadencé, suivi des deux chevaux.

Le récit de Théramène, qui est fait non par un Théramène désespéré, mais par un Neptune responsable de la
mort qu'il rapporte, aura des couleurs tout à fait différentes
de celles de la tradition. Il se cantonnera dans une effrayante
sécheresse didactique, qui ne pourra manquer de se souvenir
des leçons de Brecht. Neptune parlera d'abord avec froideur ;
il dessinera sur le sol, avec son trident, l'itinéraire d'Hippolyte ; il indiquera avec précision les portes de Trézène et le
chemin de Mycènes. C'est d'un air satisfait qu'il détaillera
les prestiges du monstre marin, puisque celui-ci est son
œuvre. Il insistera sur les détails les plus cruels pour Thésée :

> Hippolyte lui seul, digne fils d'un héros...
> ...
> En efforts impuissants leur maître se consume...

Accablé de douleur, Thésée bientôt s'affaisse. Neptune lui
touche l'épaule, le secoue, lui dit avec la plus grande sévérité :

> J'ai vu, Seigneur, j'ai vu votre malheureux fils
> Traîné par les chevaux que sa main a nourris.

L'oraison funèbre est devenue un réquisitoire.

La fin du IVe acte est l'un des passages les plus difficiles
à mettre en scène de tout le théâtre classique. Toujours mû
par l'idée de cérémonie, j'en proposerais la représentation
suivante. Phèdre a menacé Œnone avec l'épée d'Hippolyte
qui était restée en scène depuis le IIe acte et que Thésée
brandissait encore en disant :

> J'ai reconnu le fer, instrument de sa rage,
> Ce fer dont je l'armai pour un plus noble usage.

Puis Phèdre est sortie, laissant cette épée sur le sol. Œnone
se traîne en rampant jusqu'à l'épée, la saisit et dit :

> Ah, dieux ! pour la servir j'ai tout fait, tout quitté ;
> Et j'en reçois ce prix ?

Elle se plonge l'épée dans la poitrine, en disant :

> Je l'ai bien mérité.

Elle s'écroule. Neptune, qui était momentanément hors de scène, entre en conduisant les deux chevaux qu'il tient avec des cordes. Il fait triomphalement un tour de piste. Il s'arrête, accroche les cordes au corps d'Œnone et entraîne ce corps inerte comme on fait avec celui du taureau mort à la fin de la corrida. Il refait un tour de scène, puis dépose le corps d'Œnone près de la coulisse. Il sort avec les chevaux. Œnone se relève péniblement et redit :

> Je l'ai bien mérité.

Puis elle sort en hurlant. On entend ensuite le bruit d'un corps qui tombe dans l'eau.

Naturellement, la course de taureaux n'est pas ici une allusion au Minotaure. Elle est alléguée parce qu'elle est aussi une cérémonie, et peut-être la plus exigeante de toutes, en ce que l'acteur principal, le taureau, ne joue jamais qu'une fois.

NOTE BIBLIOGRAPHIQUE

Je me borne à signaler ici les principaux travaux cités dans le cours du présent ouvrage ou qui m'ont été véritablement utiles. La brièveté de cette liste ne signifie pas que je n'ai point d'estime pour les œuvres qui n'y figurent pas.

TEXTES

RACINE, *Œuvres complètes*, Ed. Raymond Picard, 2 vol., Gallimard, 1951-1952.

— *Bérénice*, éd. avec analyse dramaturgique par E. BORGIALLO, M. F. FAILLAT, M. J. HOURANTIER, B. MORINEAUX, J. P. PAPPIS, J. SCHERER et D. TAILLEMITE, SEDES, 1974.

ÉTUDES

BARTHES (Roland), *Sur Racine*, Editions du Seuil, 1963.

BRAY (René), *La formation de la doctrine classique en France*, Nizet, 1966.

BUTLER (Philip), *Classicisme et baroque dans l'œuvre de Racine*, Nizet, 1959.

BUTOR (Michel), Racine et les dieux, dans *Répertoire I*, Editions de Minuit, 1973, pp. 28-60.

FREEMAN (Bryant C.) et BATSON (Alan), *Concordance du théâtre et des poésies de Jean Racine*, Ithaca, New York, Cornell University Press, 2 vol., 1968.

GOLDMANN (Lucien), *Le Dieu caché, étude sur la vision tragique dans les Pensées de Pascal et dans le théâtre de Racine*, Gallimard, 1955.

KNIGHT (Roy C.), *Racine et la Grèce*, Boivin, 1950.

LANCASTER (Henry Carrington), *A history of French dramatic literature in the 17th century*, Baltimore, Johns Hopkins Press, 9 vol., 1929-1942.

LAPP (John C.), *Aspects of Racinian tragedy*, Toronto, Toronto University Press, 1955.

MAULNIER (Thierry), *Racine*, Gallimard, 1954.

MAURON (Charles), *L'inconscient dans l'œuvre et la vie de Racine*, Gap, Ophrys, 1957.

MOURGUES (Odette de), *Autonomie de Racine*, Corti, 1967.

PICARD (Raymond), *La carrière de Jean Racine*, Gallimard, 1956.

— *Nouveau Corpus Racinianum*, CNRS, 1976.

— Les tragédies de Racine : comique ou tragique, dans *Revue d'Histoire littéraire de la France*, 1969, n° 3.

SCHERER (Jacques), *La dramaturgie classique en France*, Nizet, 1956.

— La liberté du personnage racinien, dans *Le théâtre tragique*, CNRS, 1962.

WEINBERG (Bernard), *The art of Jean Racine*, Chicago, Chicago University Press, 1967.

INDEX DES PIÈCES DE RACINE